Syniad Da

Y bobl, y busnes – a byw breuddwyd

PERFFAITH CHWARAE TEG
Ysgol Glanaethwy 1990-2011

Argraffiad cyntaf: 2011

Ⓗ Cefin a Rhian Roberts/Gwasg Carreg Gwalch

Rhif rhyngwladol: 978-1-84527-333-0

Mae'r cyhoeddwr yn cydnabod cefnogaeth ariannol
Cyngor Llyfrau Cymru

Cynllun clawr: Sion Ilar

Cyhoeddwyd gan Wasg Carreg Gwalch,
12 Iard yr Orsaf, Llanrwst, Conwy, LL26 0EH.
Ffôn: 01492 642031 Ffacs: 01492 641502
e-bost: llyfrau@carreg-gwalch.com
lle ar y we: www.carreg-gwalch.com

Perffaith Chwarae Teg

Cefin a Rhian Roberts

YSGOL GLANAETHWY
1990-2011

Cyflwynedig i
Iris
ac er cof am
Jack

'Crefft gyntaf dynol ryw'

Dyna ddywed geiriau'r hen gân wrthan ni. Ac os ydach chi'n gyfarwydd â'r alaw a'r geiriau mi wyddoch mai trin y tir ydi'r grefft sydd gan y bardd dan sylw. Ond dwi'n credu bod yna grefft sydd yn llawer hŷn na 'gwneud y gors yn weirglodd ffrwythlon ir' ac nad 'codi daear las ar wyneb anial dir' *oedd* y grefft gyntaf un honno. Hyd yn oed os ewch chi mor bell yn ôl â stori Gardd Eden, lle nad oedd yn rhaid i Adda ddysgu am na hau na medi, a chyn iddo gael ei hel allan i'r anialdir i ddysgu rhywbeth am wrtaith a hadu, bu'n rhaid iddo'n gynta droi ei law at actio.

> Duw: (*mewn llais dwfn a chyhuddgar*) Felly! *Chdiiiii* sydd wedi bod yn bwyta'r ffrwyth o'r pren gwaharddedig?
>
> Adda: (*yn ddiniwed*) Na ... nes i rioed y ffasiwn beth!

Mae'n amlwg nad oedd Adda druan wedi bod yn agos at unrhyw wers ddrama gan iddo fethu darbwyllo ei Dduw o'i ddiniweidrwydd. Doedd Efa fawr gwell dybiwn, gan iddi hithau drio'i gora i wyngalchu ei gŵr a'i achub rhag eu tynged o orfod mynd allan i feistroli'r ail grefft: ffermio.

Ond roedd yr hen sarff 'i hun wedi bod wrthi'n 'i palu nhw fel lladd nadroedd ers canrifoedd wrth gwrs!

Na, nid hefo dyfodiad cyrtans melfad a golau spot y dechreuodd yr hen grefft yma o adrodd stori, diddanu a thwyllo. Mae'r awydd a'r angen wedi bod ynddan ni rioed. A thros y canrifoedd mae hi wedi cael ei hogi, ei mireinio a'i hesblygu yn fwy na'r un grefft arall a ddyfeisiwyd wedi hynny. A thros y canrifoedd mae 'na ryw ddyrnaid yma ac acw ym mhob cymuned yn cael yr awydd i ymhél â'r grefft honno. Tydan ni mond angen y nifer bychan hwnnw, wrth

'Y Cylch' – *llun a gomisiynwyd gan Ed Povey gennym er mwyn
darlunio y cylch theatrig*

gwrs. Gall mwy na phinsiad o halan ddifetha pryd da o fwyd
yn amal. Dach chi angen y gweddill i'w fyta a'i gymeradwyo.
Y gweddill yw'r rhai sy'n talu ac yn cadw'r hen grefft i fynd.
Y rhai sydd angen eu diddanu ar ôl diwrnod hir a diflas yn y
gwaith. Y gynulleidfa. Croeso i'r sioe!

'Does unman yn debyg i gartre'

Fe'm magwyd yn Nhyddyn Difyr ger pentre Llanllyfni yn Nyffryn Nantlle pan oedd chwareli'r dyffryn bron yn fud a chwyrnellu'r traffig ar gynnydd. Roedd hynny ymhell cyn i'r ffordd osgoi gyrraedd a chyn i'r holl gapeli a'r siopau gau fesul un ac un. Bryd hynny roedd yno saer a gof, siop sgidia a swyddfa bôsd, siop jips a phedair siop-bob-dim. Roedd y dyn gwerthu mecryll a'r fan fara'n galw'n rheolaidd. Roedd yno glwb ieuenctid, clwb billiards, a 'Chaban' i'r henoed. Yno hefyd roedd carnifal mawreddog a chymanfa ganu'n weddol gyson, Band-o'-Hôp ac eisteddfod bentref, ffair a chymdeithas ddrama, cyngherddau a gemau pêl-droed. Ychwanegwch at hynny ddosbarthiadau derbyn, adran yr Urdd weithgar a llwyddiannus, *brownies* a *girl-guides*, cymdeithas lenyddol a chyfarfodydd gweddi, tripiau ysgol Sul a thripiau achlysurol y pentre ac fe allwch ddychmygu fod y dyddiadur blynyddol yn prysur lenwi cyn i rywun droi.

Siop sgidia! Yn Llanllyfni! Go brin y medrwch chi brynu tysan yno erbyn heddiw. Ond bob tro y bydda i'n gwibio heibio ar y ffordd osgoi i lawr yr A470 i ryw bwyllgor neu ymarfer neu gyngerdd, mi fydda i'n cael pwl anferth o hiraeth ac yn arafu ryw fymryn, nad fy ngwaetha, er mwyn anadlu unwaith eto ac ail-flasu peth o'r 'dyddiau da'; 'dyddiau da dros ben'.

I mi, y steddfod, y ffair a'r carnifal oedd yr uchafbwyntiau mawr o ddigon ar galendr blynyddol y pentref. Denai'r ffair rai cannoedd, os nad miloedd o bobol o bob lliw a llun i'n stryd fach ni, ac wedi inni symud i'r pentref i fyw, lle bu Mam yn cadw siop o'r enw Stanley House am flynyddoedd, cawn fod ynghanol bwrlwm y ffair o'r fargen gynta hyd at nodyn ola'r Meri-go-rownd. Roeddwn yn chwech oed pan symudon ni, ac fe'm

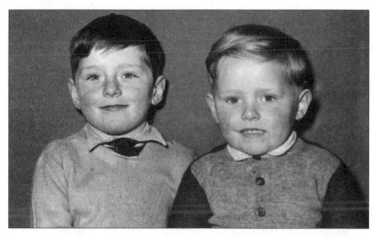

Alan a Kevin yn 1957

bedyddiwyd yn Kevin Stanley o'r eiliad symudon ni i mewn, ond Tyddyn Difyr lynodd wrth enw 'mrawd hyd heddiw – Alan Tyddyn Difyr a Kevin Stanley fyddwn ni i rai am byth. Roedd Stanley House, reit ynghanol y pentre ac felly doedd dim modd osgoi sŵn a rhyfeddod pobol y ffair.

Byddai'r stryd yn llawn o stondinau yn gwerthu pob math o nwyddau a'r gwerthwr uchaf ei gloch o bell ffordd oedd y gwerthwr llestri. Llestri gweigion? Dwi ddim mor siŵr, gan mai fo hefyd, dybiwn i, oedd gwerthwr mwyaf llwyddiannus y ffair y dyddiau hynny. Bloeddiai ei fargeinion o fore gwyn tan nos a byddwn yn dotio at ei ddawn i dwyllo'r dorf fod y set llestri nesaf yn mynd i fod y fargen orau oedd ganddo ar ei stondin ac mai rhain oedd y set olaf o'u bath a oedd ganddo. Ar ei gynnig olaf am y pris rhata posib, codai hwda o freichiau i fyny i'r awyr yn erfyn am gael prynu ei lestri 'gwerthfawr'. Bargen y dydd os buo 'na un erioed! Wedi gwario pob dima o 'nghynilion blynyddol ar y ceffylau bach a'r 'moto crashis' (glywsoch chi'r fath enw ar geir *dodgems* erioed?), byddwn yn gwrando ar y gwerthwr llestri yn mynd drw'i betha am oria. Dotiwn at

Lyn, fy ffrind, a finnau yn Ffair Llan

ei ddawn i daro'r platiau a'r soseri yn erbyn ei gilydd i brofi
eu gwytnwch heb dorri 'run llestr erioed tra, ar yr un pryd,
daro ambell i jôc a lluchio rhyw 'gompliment' rŵan ac yn y
man tuag at rai o'r gwragedd cegrwth. A rhyfeddwn at ei
gelwyddau. Erbyn diwedd y dydd, byddai wedi darganfod
set arall o'r llestri rheiny y dywedodd ryw awr yn gynharach
eu bod yr unig rai a oedd ganddo. Awr yn ddiweddarach
roedd set *arall* o'r un llestri yn *union* wedi ymddangos o
rhywle wedi i'r prynwr gwreiddiol hen ddiflannu o'r cyffinia.
Dywedai, gan ei bod yn tynnu at derfyn dydd, fod y set yma
yn rhatach na'r tro dwytha, ond am yr un pris yn union y'i
gwerthai, os nad rhyw fymryn yn ddrutach. Erbyn hynny
roedd ei gynulleidfa'n dipyn mwy meddw neu'n fwy ysig am
fargen, gan fod y ffair yn tynnu at ei therfyn a hwythau'n
waglaw.

Does yr un gwerthwr llestri wedi bod yn agos i'r Llan ers blynyddoedd bellach dwi'n siŵr, ond gwn fod y ffair yn dal i fynd, a phob Gorffennaf y chweched caf bwl o'r awydd rhyfedda am arogl nionod a thaffi yn gymysg, am gael fy chwyrlïo o luch i dafl ar y *Waltzers*, ac am gael sefyll hefo gweddill fy ffrindiau'n bloeddio'r *hits* diweddara' ar risiau'r *Carousel*. Ond ar ddiwedd diwrnod ffair, y pleser mwya a gawn oedd mynd hefo Mam am un tro bach ychwanegol ar ambell reid yn y ffair. Chwerthin nes gwlychu ein hunain yn neuadd y drychau cam cyn troi am

'Nhad, 1939

adra hefo pocedi gweigion a llond ein boliau o sothach a chwerthin. Roedd y siop wedi bod dan ei sang drwy'r dydd a hithau, Mam dlawd, am unwaith y flwyddyn, wedi gallu talu'r morgais ar elw diwrnod y ffair.

Dyna'i chi air mawr yn tŷ ni. 'Morgais.' Ac os oedd trin arian yn ddiarth i mi, hyd ei farw, roedd cynilo, bancio a chyllido yn iaith estron *iawn* i 'Nhad. Mam oedd ceidwad y pwrs o'r cychwyn cynta. Bob dydd Gwener, yn ddeddfol, cyflwynai 'Nhad ei bacad pau iddi pan ddychwelai o'i waith ym Mhorthmadog. Bu'n gweithio ar ei liwt ei hun fel saer maen am flynyddoedd, ond doedd ganddo fawr o ben busnes ac felly roedd cael ei gyflogi gan gwmni adeiladu Nicholson and Mason's yn dipyn haws na rhedeg ei fusnes ei hun, ac i'r cwmni adeiladu yn Port y bu'n gweithio am y rhan helaetha o'r cof sydd gen i ohono.

Tebyg i fy mam ydw i o ran natur ac anian meddan nhw i mi, a 'mrawd yn debycach i 'Nhad. Athro CDT yn Ysgol Bro Myrddin ydi Alan, ac wedi etifeddu dwylo, llygaid a

Mam yn ei hugeiniau

sgiliau crefftus 'yr hen go'. Ond genynnau fy nhad a etifeddais innau o safbwynt trin yr hen arian gleision. Dwi'n cofio 'nghyfrifydd, y diweddar R. Lunt Roberts, yn rhoi ochenaid o ryddhad y diwrnod y sefydlon ni Ysgol Glanaethwy. Roeddwn yn rhoi ffidil fy ngyrfa fel actor yn y to bryd hynny wrth gwrs, ac felly roedd ffynhonnell ein hincwm yn newid dros nos ac yn dipyn o sioc i'n cyfrifydd ffyddlon.

'Rhian fydd yn delio hefo chi o hyn ymlaen, Mr Roberts,' meddwn i wrtho fo. Ac er nad oedd ganddo syniad be yn union fydda incwm Ysgol Berfformio na'r syniad lleia sut y byddan ni'n gneud bywoliaeth, dyna pryd y gwelish ei sgwydda fo'n ymlacio a gwên fach yn wincio'n ysbeidiol yng nghongla'i wefusa.

'Ma' gobaith y gwelai fwy na llond dau focs sgidia o gytundeba a derbyniada o hyn allan ta?' oedd yr ymateb ges i.

A do, mi gafodd Mr Lunt Roberts a'i fab, Gareth yn ddiweddarach, dipyn mwy o drefn ar betha wedi hynny.

Ond yno, yn ffair y Llan, y dysgais am fargen, am yr angen am 'ddigwyddiad' o bryd i'w gilydd ym mywydau pobol, ac am yr angen i chwerthin, a bod yn rhaid i forgais gael ei dalu, doed a ddêl!

'... A gwerthu ein henaid am doffi a chonffeti ffair'

Yr un wefr a gawn yng ngharnifal y Llan hefyd. Yr un cynnwrf o weld cymuned yn dŵad at ei gilydd i ddathlu ein bod yma. Band prês Dyffryn Nantlle'n pwnio nodau 'Gwŷr Harlech' o'u hofferynnau sglein, martsio'n gybolfa ryfedd o Indiaid Cochion a Thylwythau Teg, yn Goliwogs ac yn Robotiaid, yn filwyr Rhufeinig ac yn Dywysogion am y gwelach chi. Ac ar y blaen, hi, y frenhines deg ei llun. Oedd, roedd gan hyd yn oed Llanllyfni frenhines yr adeg honno!

Mrs Powis, rheolwraig y Quarryman's Arms, fyddai'r pen-bandit ar y carnifal yn y cyfnod hwnnw. Saesnes a ddaeth â'i diwylliant a'i syniadau newydd a rhyfedd hefo hi i'r pentref oedd Mrs Powis, a ninnau'n neidio ar y cyfle i gael brenhines a sioe yn ein pentref bach ni. Roeddwn wedi gweld yr Olympics ar deledu newydd Mrs Evans, Ceris, ond rŵan roedd yna rasus go iawn, hefo gwn go iawn i'w cychwyn nhw, yn digwydd ar gae chwarae Llanllyfni! Hefo brenhines go iawn yn cyflwyno'r tariannau a'r tlysau i'r

Bryn Fôn a finna yn page-boys; *Gwyn yn dal y goron a Jên a Mair yn dal y blodau.*

Macwy Ffair Llan

buddugwyr! Ac oedd, roedd yna ambell gamera teledu'n dŵad yno weithia i'n ffilmio ninna hefyd. Os oeddan ni'n gallu gweld y rasus o Fecsico yn Llanllyfni, mae'n siŵr eu bod hwythau yn gwylio rasus Llanllyfni ym Mecsico! Waw! Roedd Llan ar y map. Ac roedd Queen Lyn *gymaint* delach na Queen Elizabeth, doedd yna ddim dwywaith am hynny.

Lyn Jones Davies oedd y frenhines gynta i mi ei chofio yng ngharnifal y Llan, ac roedd hi'n ddigon o ryfeddod. Merch y diweddar Ifan Jones Davies ac Anti Ses (Esyllt Menai) oedd Lyn, a dwi ddim yn credu imi weld tlysach brenhines garnifal erioed. Roedd y pentre'n un carped o liwiau ar ddiwrnod carnifal a baneri yn chwifio'n gris-croes o un pen y stryd i'r llall fel tasa fo'n 'i ddillad gora. Mae'r rhan fwyaf ohonach chi, selogion y Steddfod Genedlaethol, yn cofio Yncl Ifan ac Anti Ses yn iawn fel rheolwyr cefn llwyfan ffyddlon y Steddfod am flynyddoedd. Roedd Lyn a finna'n ffrindia agos iawn y dyddiau hynny ac yn gyd-aelodau o barti cerdd dant yr ysgol. Yncl Ifan fyddai tacsi'r parti cerdd dant i bob cyngerdd a steddfod ac Anti Ses fyddai hyfforddwraig frwdfrydig y parti llefaru. Mae dylanwad y ddau ar blant a phobol ifanc Llanllyfni wedi bod yn aruthrol.

Rhyw flwyddyn neu ddwy yn ddiweddarach cefais fy newis i fod yn '*page-boy*' i frenhines y carnifal. Queen Helen!

Braint ac anrhydedd os buo 'na un erioed, a rhagor na hynny, roedd 'na gosdiwm yn dŵad hefo'r anrhydedd! Ond hefo pob anrhydedd mae 'na wastad rwystr. Wedi'r orymdaith a'r sioe roedd yn rhaid i'r Frenhines *a'i* llys eistedd yn urddasol yn eu gwisg drwy gydol y pnawn i gyflwyno'r gwobrau. Dim rasio hefo ŵy ar lwy, dim cystadlu yn y wisg ffansi, dim rhedeg a gaflio hefo gweddill y plant drwy gydol y dydd. Ac yn sicir, dim sipian lolipop rhew rhag iddo sdrempio dros ein crysau sidan gwynion!

Y Frenhines Lyn

Bryn Vaughan oedd fy nghyd-facwy y diwrnod crasboeth hwnnw a dwi'n cofio ei wên yn pylu'n raddol wrth iddi wawrio arno ynta na châi fod hefo'r 'hogia go iawn' drwy gydol y dydd. Ia, Bryn *Vaughan* a *Kevin* Roberts oedd y sillafiad cywir y dyddia hynny. Be ddigwyddodd dudwch?

Felly yna, yng ngharnifal y Llan, y dysgais am gymuned yn dod at ei gilydd i greu, am yr angen am seremoni a lliw a sbloets, am Saeson cefnogol yn asio i'r gymuned, a bod i bob anrhydedd ei baich a'i chyfrifoldeb.

Bu farw Lyn fy ffrind y llynedd, ac mae colled fawr ar ei hôl. Mae carnifal y Llan wedi hen ddiflannu hefyd yn ôl y sôn. Ond bydd gwên y frenhines gynta yn para hefo mi am byth.

'Rwy'n mynd o steddfod i steddfod!'

Ond o'r holl uchafbwyntiau ar galendr ein cymuned fach ddiwyd, roedd dyddiad yr eisteddfod yn codi uwchlaw y gweddill. Edrychwn ymlaen am wythnosa os nad misoedd iddo gyrraedd. Gallwn weld i mewn i'r Gofeb, Neuadd Goffa Llanllyfni, o'm hystafell wely a threuliwn nosweithiau bwy'i gilydd yn edrych ar y llwyfan ac yn byw yr holl fwrlwm yn fy nychymyg. Byddai'r cyfnod dygn o baratoi, dysgu a meistroli hefyd, yn llenwi'r oriau – ac ar ben hynny, cystadleuaeth gneud llun tebot, sgwennu stori am fynd am bicnic, a sgwennu barddoniaeth am ddynion o'r gofod. Ond uchafbwynt y paratoi a'r cystadlu oedd y parti cerdd dant. Am flynyddoedd bu parti cerdd dant ysgol gynradd Llanllyfni'n llwyddiannus eithriadol ar sawl achlysur, o steddfod y pentre i lwyfannau cenedlaethol. Roeddem yn fuddugwyr cyson yn yr Ŵyl Gerdd Dant a'r Urdd. Dan arweiniad medrus y prifathro, Glyn Owen, byddai tlysau a

Parti cerdd dant Ysgol Gynradd Llanllyfni yn
Eisteddfod Genedlaethol yr Urdd, Rhuthun, 1962

*Parti cerdd dant Ysgol Gynradd Llanllyfni yn
Eisteddfod Genedlaethol yr Urdd, Brynaman, 1963*

llawryfon a thystysgrifau yn addurno waliau a silffoedd yr
ysgol yn gyson. Crwydrem o un pen y sir i'r llall yn cynnal
cyngherddau ac yn cystadlu o Lwchwr i Lŷn.

Rwy'n cofio f'eisteddfod gyntaf yn iawn. Roedd hynny
ymhell cyn dyddiau Glyn Owen a'r parti cerdd dant a
doeddan ni ddim eto wedi symud i'r pentref i fyw. Ond
roedd Mam yn benderfynol fod hogia Tyddyn Difyr yn
mynd i neud eu marc ar y llwyfan er ein bod yn byw hanner
ffordd i fyny'r mynydd a neb ond Mam i'n hyfforddi. Roedd
Alan a finna'n cystadlu ar yr unawd dan chwech a Mam wedi
rhygnu alaw a geiria 'Myfi yw Santa Clôs' i'n penna ar ein
haelwyd ddi-biano. Ymarfer bob dydd wrth gerdded i'r ysgol
i guriad y cyfeiliant. Roedd Tyddyn Difyr rhyw filltir dda o
waith cerdded o'r ysgol ac roedd wyth curiad rhwng bob
pennill i'w gyfri. Yn Saesneg y byddem yn cyfri bob gafael,
'Wan tŵ - thri ffôr - ffaif sics - sefn êt - Myfi yw Santa Clôs /
yn crwydro cwm a rhos / Drwy'r eira gwyn dan seren dlos /
yn dawel, dawel yn y nos - wan tŵ - thri ffôr - ffaif sics - sefn
êt -', ac ymlaen â ni i'r ail bennill.

Safodd y ddau ohonom ynghanol yr haid o gystadleuwyr bach newydd yn gymysg o nerfau ac awch a dryswch. Be oeddan ni'n neud yn sefyll o flaen môr o wyneba fel hyn? Pam oedd rhai yn cael rhuban coch a gwyrdd a glas a'r gweddill yn cael 'ceiniog am drio'? Pam oedd rhai yn mwynhau eu hunain yn iawn ynghanol y dryswch a'r lleill yn edrych yn llawer mwy amheus o'r holl beth? Pam oedd fy mrawd mor welw?

Trodd Alan ata i a deud wrtha i am ganu o'i flaen o. Doedd o ddim yn barod i'w mentro hi eto felly fe gamais i'r adwy. Wedi imi fustachu drwy'r darn yn herciog, hebryngwyd fy mrawd druan i flaen y llwyfan gan yr arweinydd ac fe welwn ei goesau bach gwynion yn dechrau crynu a pherlau bychan o chwys yn torri'n sglein ar ei dalcen oer. Mi wyddwn fod ei yrfa fel perfformiwr ar fin machludo pan glywais Alan yn cyfri 'Wan tŵ - thri ffôr - ffaif sics - sef êt - nain ten - 'lefn twelf-'. Dwi ddim yn credu iddo ddŵad i mewn yn yr ail bennill chwaith, ac yn sicir welais i mo 'mrawd yn perfformio ar lwyfan steddfod Llan wedi'r pnawn bach chwyslyd hwnnw'n ein hanes. Ddois inna'n drydydd.

Ond trydydd neu beidio, thorrish i mo 'nghalon y diwrnod hwnnw ar lwyfan y Gofeb yn canu am Santa Clôs, ac mi wisgish fy rhuban gwyrdd am rai wythnosau hefyd. Bu'r llwyfan, o hynny mlaen, yn dynfa ryfeddol imi. Magned o le os buo 'na un erioed. Boed yn gyngerdd neu'n garnifal, yn 'steddfod neu'n ddawns, roedd y neuadd a'i llwyfan bychan, pren yn ddihangfa ac yn feithrinfa i mi o'r pnawn hwnnw mlaen.

Ac yno felly, yn steddfod y Llan, dan ddylanwad fy mam ac athrawon ymroddgar yr ysgol gynradd y dysgais i am lwyfannu, am farddoniaeth a cherddoriaeth, am dderbyn beirniadaeth a rhubanau, am anogaeth ac ysbrydoliaeth; ac am golli.

'Minnau heb ddim byd i'w wneud'

Ond er mor bwysig oedd y ffair, y carnifal a'r steddfod imi'n blentyn, nid yno y cefais i fy ysbrydoliaeth gynta am sefydlu ysgol ddrama. Ac er i'n hathrawes addfwyn, Glenys Evans, ein hyfforddi mewn sawl drama a sgets ar hyd y blynyddoedd yn yr ysgol gynradd, nid yno y daeth y weledigaeth gynta imi chwaith, nac yn yr ysgol Sul, lle roedd y diweddar Barchedig Robert Owen yn llunio bob mathau o sgriptiau ar ein cyfer. D'ai ddim i wadu na fu ei ddylanwad o a'i feibion, Arwel Ellis Owen a Wynford Ellis Owen, yn drwm iawn ar rai fel Bryn Fôn a minna. Roedd y gŵr camera, Gareth Owen, yn *goleuo* ein cynyrchiadau yn Salem, hyd yn oed yn y dyddiau anhechnegol hynny. Ond na, er y dylanwad anferth yma, nid dyna'r man cychwyn chwaith. Tu allan i'r *church-room* yn gwrando ar y *brownies* yn canu *'We are the red-men tall and quaint/In our feathers and war paint'* y tarodd o fi'n gynta y gallwn i, ryw ddiwrnod, agor ysgol ddrama!

Sut roedd plentyn mor ifanc yn gallu llunio cysyniad mor gymhleth â chreu Ysgol Berfformio, meddach chi? Yn enwedig ynghanol y chwe degau pan nad oedd y fath sefydliad yn bodoli yn agos at ei wlad, heb sôn am ei gynefin a'i ddirnadaeth o betha mor gymhleth. Peidiwch â gofyn imi; ond mae o'n wir. Roeddwn i ar y pryd yn mynd i'r Groeslon i gael gwersi dawnsio wrth gwrs, ac roedd rhyw gwpwl priod yn dod draw o Lannau Mersi bob nos Fercher i'w cynnal a'r aeloda'n talu'n wythnosol am eu gwersi. Roeddwn i hefyd yn mynd i adran yr Urdd yn y pentra, yn aelod o Glwb Ieuenctid a'r Band-o'-Hôp, a falla mai ryw gyfuniad o'r cyfan oll a sbarciodd y ddelwedd gynta 'ma yndda i. Does wbod. Ond dyna, wir i chi, gychwyn Ysgol Glanaethwy.

Un o gynhyrchiadau Ysgol Dyffryn Nantlle – 'Canmlwydd' yn 1969 (Cefin, Eifion Glyn ac Ann Beynon)

Toeddwn i fawr o giamsdar ar chwarae pêl-droed. Toedd y syniad o gicio pledran mochyn o un pen y cae i'r llall rioed wedi apelio ata i; yn enwedig a hithau'n dwll gaea a'r hogia'n chwarae hyd oria o'r dydd pryd nad oeddach chi prin yn gallu *gweld* y bêl heb sôn am ei chicio hi. Roedd chwaraeon yr haf, athletau, tennis a mynd ar gefn ein beicia i lan y môr i nofio a dwyn fala ar ein ffordd adra yn apelio llawer mwy ata i na mynd allan i rynnu ar gae chwarae yn y twllwch gaeafol ac i gael fy nghleisio'n fyw mewn tacl go ffyrnig.

Felly ar y nosweithia hynny, lle nad oedd gen i ymarfer côr na drama, run cyngerdd na gwers biano i'w mynychu, mae'n rhaid imi ymlwybro'n ddi-amcan tuag at y *church-room* ryw nos Wenar go wlyb a chlywed canu'n dod o gyfeiriad yr eglwys. Dwi'n cofio, fel tasa hi'n ddoe, imi gael cymorth carreg neu foncyff go nobl i sefyll arno ac ymestyn digon i roi fy ngên ar lintal y ffenest gefn a syllu'n gegrwth ar gylch o *frownies* yn canu a symud dan arweiniad eu *brown owl*, Miss Jean Blakeley.

'Pa mor annheg ydi hyn?' meddyliais. Roeddwn yn teimlo wedi f'amddifadu o rywbeth yr oeddwn yn ysu am fod yn rhan ohono. Er cymaint y cyfleoedd a gawn yn yr ysgol a'r capel, mae'n rhaid bod y darlun bach dedwydd o'r genod yn canu, actio a dawnsio wedi 'nal ar ryw gyfnod o'r flwyddyn lle nad oeddwn i yn digwydd bod yn rhan o unrhyw beth tebyg. Ond dwi'n cofio'n hollol glir imi feddwl y byddwn i, ryw ddiwrnod, yn rhoi cyfle i genod *a* hogia i fod yn rhan o weithgaredd fel hyn. Felly yn y fan honno, yn ddi-os, y fflachiodd y syniad cynta yma o lond stafell o blant yn cymryd rhan mewn rhyw weithdy theatrig drwy fy meddwl ac i'r darlun hwnnw aros hefo mi hyd y dydd yr agoron ni ddrysau Ysgol Glanaethwy am y tro cynta.

Ond roedd milltiroedd o ffordd cyn gwireddu'r freuddwyd fach honno wrth gwrs. Blynyddoedd caled, anodd, difyr a chymhleth. Ond nid y *fi* wthiodd cwch Glanaethwy i'r dŵr, credwch chi fi. Roedd yn rhaid cael rhywun dipyn dewrach na'r llipryn bach penfelyn, ansicr a safai'n sigledig a'i freichiau ar lintal ffenast y *church-room* i wneud peth felly.

'Mae gen i gariad ...'

Yr hogan 'dipyn dewrach' oedd Rhian Roberts o Ffordd Llanberis, Caernarfon. Roedd Rhian yn arweinydd y 'gang' ac yn dyfeisio codau cudd y byddai'n rhaid i weddill ei ffrindiau eu datrys cyn y gallent ddod yn aelodau o'i chriw dethol. Mi fyddai Marian, y chwaer hynaf, yn ymarfer ei phiano yn blygeiniol am oriau, tra oedd yn well gan madam fod allan yn chwarae ac yn creu pob math o anturiaethau yn ei phen. Y dyddiau hynny byddai athrawon piano yn dod i'ch tŷ i roi gwersi ichi, ond ambell waith, wedi'r wers hefo'r disgybl disglair yn Ffordd Llanberis, byddai'r athro candryll yn disgwyl am y chwaer fenga ar y pafin y tu allan i'r tŷ gan ei bod hi, mei ledi, wedi bod yn llawer rhy brysur yn dyfeisio'r codau yn y cae chwarae ac wedi anghofio popeth am y wers. Aeth i drwbwl cyffelyb sawl gwaith gyda'i hathrawes bale hefyd. Ac er iddi fwynhau neidio a gaflio yn ei thw-tw fach binc yn y Clwb Rhyddfrydol yng Nghaernarfon, roedd y gwersi uniaith Saesneg a'r termau Ffrengig yn creu rhyw ddieithrwch dryslyd iddi, ac o dipyn i beth roedd y sgidie bale yn hongian yn y twll-dan-grishia yn amlach nag am ei thraed bach poenus.

Jack ac Iris,
Tad a Mam Rhian

Ond fe ddaliodd Rhian ati hefo'i gwersi piano ac fe ddatblygodd y ddwy chwaer yn ddeuawd brysur iawn yn ystod eu cyfnod yn Ysgol Syr Hugh Owen yng Nghaernarfon dan arweiniad Dilys Wynne a Mair Welsh ac yn yr Aelwyd yng Nghaernarfon hefo'u hyfforddwraig,

Marian a Rhian, 1959

Glenys Parry. Roedd côr Syr Hugh Owen yn fuddugol yn gyson yn yr Eisteddfod Genedlaethol yn ystod y cyfnod yma, ac yn un o'r ychydig gorau ysgol o'r gogledd a gefnogai'r Ŵyl.

Fel yn Stanley House, Llanllyfni, roedd y capel a'r Band-o'-Hôp, y steddfod a'r cyngherddau yn chwarae rhan flaenllaw iawn ar yr aelwyd yng Nghaernarfon. Yn naturiol felly fe ymunodd y ddwy chwaer â chôr sir Gaernarfon pan gafodd ei sefydlu gan y diweddar Haydn Davies ym 1968. Ac yn ymarferion y côr sir y bydda Rhian a finna'n gweld ein gilydd amlaf y dyddiau hynny. Yna, mewn ambell steddfod, cyngerdd, rali Cymdeithas yr Iaith a'r Blaid, sioeau a phasiantau, eisteddfodau pop a phinaclau, fel yr âi'r blynyddoedd yn eu blaena' cynyddai'r 'cyfarfodydd'.

Cerddoriaeth felly, heb os, ddaeth â Rhian a finna at ein gilydd. Daeth deuawd y ddwy chwaer i ben wedi i Marian fynd i'r coleg i Gaerdydd a bellach roedd enwau deuawd

*Rhian a finnau'n
canu deuawd, 1976*

newydd ar ffurflenni cystadlu pob
steddfod oedd yn mynd: 'Cefin a
Rhian'. Erbyn hynny roeddwn wedi
newid sillafiad fy enw'n swyddogol,
wedi ymaelodi â Chymdeithas yr
Iaith, ac yn *meddwl* 'mod i'n
brotestiwr o fri. Roedd gen i hefyd
freuddwyd rhywle yn fy ymysgaroedd.
Ond chydig a wyddwn i ar y pryd
mai'r hogan fach 'ma oedd yn canu
wrth f'ochor i fyddai'n deffro'r
freuddwyd honno yndda i.

'Maen nhw ar gael o hyd ...'

Ond fydda 'run o'r ddau ohonan ni wedi gallu gwthio
unrhyw fath o gwch i'r dŵr heblaw am ddylanwad llawer
iawn o bobol. Dwi eisoes wedi enwi nifer helaeth o'r
athrawon a hyfforddwyr fu'n gyfrifol am fowldio y ddau
ohonom yn ystod y cyfnod cynnar yma, ond dwi ddim eto
wedi enwi'r dramodydd John Gwilym Jones a Matt
Pritchard, fy athrawes hanes.

Deuai John Gwilym Jones i Ysgol Dyffryn Nantlle, pan
oeddwn i yn ddisgybl yno, i gyfarwyddo drama'n flynyddol.
Matt fyddai'r cynhyrchydd, a'r ddau yma fu'n bennaf gyfrifol
am osod seiliau'r grefft o lwyfannu yn gadarn dan fy nhraed.
Doedd dim modd astudio Drama fel pwnc y dyddiau hynny
ond byddai cael bod yn rhan o gynhyrchiad yr ysgol gystal,
os nad gwell, addysg nag unrhyw DGAU na Lefel A dan
hyfforddiant meistrolgar John Gwil. Byddai'r manylder a'r
gofal a roddai i ynganiad, pwyslais, goslef a saib yn her
aruthrol i bob un ohonom. Cymerai amser i egluro inni sut
y gallai goslef anghywir newid ystyr nid yn unig brawddeg,
ond drama gyfan weithiau. Roedd ei lwyfaniad bob tro yn
ystyrlon a rhoddai gymhelliad i bob un ohonom wrth inni
ymgynefino â'r set a'r celfi, ond yn bwysicach na hynny
byddai bob amser yn gofalu fod y sawl oedd hefo'r lleia i
ddeud mewn golygfa yn gwbod yn union be i neud ac nad
yno i gicio'i sodla yr oedd o. Châi 'run ohonon ni symud na
thrafod celficyn oni bai ein bod yn gwbod yn gyntaf pam,
sut, lle a beth oedd y pwrpas y tu ôl i'r symudiad. Roedd
ystyr pob gair yn cael ei egluro, pob brawddeg, pob golygfa
a phob cymeriad. Yn raddol wedyn fe dyfai'r darlun mawr
fesul darn, ac yn y diwedd yn troi'n gynhyrchiad y byddem i
gyd yn hynod falch ohono.

Roedd cynyrchiadau'r ysgol yn boblogaidd tu hwnt ac fe

Yr Hillman bach glas

lanwai neuadd yr ysgol i'r ymylon am wythnos gyfan gan gynnwys dau fatini. Byddai Ysgol Syr Hugh Owen yn gweithio ar union yr un patrwm yn ystod y cyfnod yma. Hwythau'n llwyfannu testunau uchelgeisiol iawn ac yn mynd i'r afael â dramau Shakespearaidd a chlasuron eraill. Ond yn Saesneg y byddai cynyrchiadau Syr Hugh i gyd er Cymreicied ei disgyblion. Ninnau yn Nyffryn Nantlle yn llwyfannu pob cynhyrchiad yn y Gymraeg.

Tybiwn felly fod *pob* plentyn trwy Gymru gyfan yn cael y math yma o brofiadau ar y pryd. Dim ond yn raddol bach, wedi imi fynd i'r coleg, y gwawriodd o arna i 'mod i wedi bod yn berson ffodus iawn yn cael y ddau yma i'm hysbrydoli a'm meithrin.

Peleg Williams oedd athro cerdd Dyffryn Nantlle ar y pryd ac roedd yno gôr arbennig o dda dan ei arweiniad medrus. Yn anffodus roedd iechyd Peleg yn torri pan symudais i i'r ysgol uwchradd ac felly chefais i ddim ond blas rhyw ychydig farwydos o'r tân a fu unwaith yn ei fol. Ond gwyddwn 'mod i yng nghwmni cerddor ym mhob gwers a fynychais. Peleg a anogodd fy mam dlawd i barhau â'm gwersi canu, gan iddo'i darbwyllo bod egin berfformiwr yndda i. Dim ond flynyddoedd yn ddiweddarach y sylweddolais yr aberth a wnaeth Mam yn fy helcid i wersi canu, gwersi dawnsio, gwersi adrodd, piano, gitâr, cyngerdd, steddfod, côr, ymarfer drama – roedd y gofyn yn ddi-baid. Doedd tacsi tŷ ni byth yn *gweld* y garej!

Anti Bes oedd tacsi Rhian. Doedd ei rhieni ddim yn gyrru. Ac felly mewn Hillman bach glas hefo'r hen *indicators*

Rhian, ail o'r chwith rhes flaen, yn ei dosbarth dawns, 1959

bach oren rheiny yn sboncio allan o ochr y car y teithiai hi i'r steddfodau. Dwy chwaer i Jac, tad Rhian oedd Anti Bes ac Anti Sid. Dwy hen ferch a fyddai'n dilyn gyrfa'r ddau ohonom drwy'r blynyddoedd, yn cadw toriadau papur newydd, yn union fel fy mam, o bob llwyddiant bach a mawr a ddeuai i'n rhan ac a roddodd gychwyn ar archif go fawr erbyn heddiw.

Diolch amdanyn nhw'i gyd. Ac mae dau eto nad ydw i wedi eu henwi, sef Norah Isaac a Wilbert Lloyd Roberts.

'Mae yng Nghymru lawer coegen
A rôi goron i *blayers* Llunden,
Ond ni all i Gymro fforddio o'i phwrs
'Run geiniog heb gwrs y gynnen ...'

Doedd yna ddim cyrsiau drama mewn ysgolion ar y pryd i roi'r sylfaen academaidd i'r egin actorion yn ein plith, a pheth prin iawn oedd o i blentyn a oedd wedi synhwyro rhyw dynfa tuag at y llwyfan yn ei waed i fentro i golegau Llundain i ledaenu ei orwelion. Roedd hyd yn oed yr ychydig prin hynny a fentrai i'r Coleg Cerdd a Drama yng Nghaerdydd i feithrin eu crefft yn cael eu hystyried yn fentrus tu hwnt y dyddiau hynny. Dwi'n cofio Wynford (Ellis Owen) yn ei mentro hi ddiwedd y chwe degau a phawb yng nghapel Salem, Llanllyfni yn meddwl ei fod yn ddewr ryfeddol. Mab y Mans oedd Wynff, ac roedd mynd i fyd mor anwadal a pheryglus yn cael ei ystyried yn rhyfeddach fyth y dyddiau hynny. Dilynais innau ôl ei droed i gastell Caerdydd, lle yr ymgartrefai'r coleg ar y pryd, ond yn wahanol i Wynford, canwr opera oeddwn i am fod!

Ond wedi cyfweliad trychinebus hefo Gerallt Evans, dychwelais ar y trên i Fangor lle roedd Mam yn f'aros yn ei Morris-lefn-hyndryd, a 'na'i byth anghofio'r siom ar ei gwyneb pan ddudish i wrthi nad oedd gen i fath o fwriad i fynd i Gaerdydd. Wedi blynyddoedd o wario a ngharid i i bob cornel o'r wlad i ganu ac adrodd, mewn un cyfweliad roedd y ffidil wedi ei roi yn swat yn y to. Pan ddaeth llythyr o'r coleg y bora Llun i ddeud 'mod i wedi fy nerbyn fe aeth Mam i'r to i nôl y ffidil. Ond gwrthodais yn llwyr â chymryd fy mherswadio. 'O be 'nei di hefo chdi dy hun ta, Cefin bach?' fydda hi'n 'i ofyn. Finna'n syllu'n fud i'w llygaid siomedig a chodi'n sgwydda. Doedd gen i ddim ateb, mwy na hitha.

*Cefin, Leah Owen, Einir Wyn a Mei Jones yn Eisteddfod yr Urdd,
Aberystwyth, 1969*

Roedd fy mrawd ar y pryd yn ei ail flwyddyn yng
Ngholeg y Drindod yn astudio i fynd yn athro gwaith coed a
metal. 'Pam na ddoi di i'r Drindod?' medda fo wrtha i o
'ngweld i'n troi'n fy unfan a'r aroliadau Lefel A ar ben a
minna'n ddi-goleg.

Be 'nawn i yn y Drindod? Doeddwn i ddim hyd yn oed
wedi gofyn am brosbectws y lle. Pwy fydda ishio mynd i'r un
coleg â'i frawd mawr beth bynnag? Ond gwyddwn mai i'r
Drindod yr heidiai nifer o 'nghyfoedion yr oeddwn wedi eu
cyfarfod yng Nglan-llyn ac ym mhrotestiadau Cymdeithas
yr Iaith y dyddiau hynny, ac yn sydyn fe apeliodd y syniad
ata i. Os nad oeddwn am gael y cwrs iawn, cawn fod
ynghanol y bobol iawn, ac fe allai hynny fy rhoi ar y trywydd
iawn yn y diwedd. Soniodd fy mrawd rwbath am ryw Norah
Isaac oedd yno yn ysbrydoli'r perfformwyr yn eu plith ond
wydda fo fawr mwy na hynny amdani. Roedd Mam wedi
clywed am y 'Norah' 'ma hefyd, ac unwaith y gwelodd hi
rhyw egin o ddiddordeb yn fy llygaid roedd y prospectws

wedi glanio acw a chyfweliad wedi'i drefnu.

Chydig fisoedd yn ddiweddarach roeddwn yn crwydro coridorau'r Drindod yn chwilio am Theatr Haliwell i gael fy ngwers gynta hefo Norah Isaac. Parciodd rhyw Peugeot bach glas yng nghyffinia'r ffreutur a daeth pwtan o ddynes allan o'r car mewn cot goch a sandalau Scholl. Er gwaetha'r ffaith ei bod yn diodda o gricymala'n o ddrwg, roedd rhyw wytnwch yn ei hosgo a thân yn ei llygad. Gofynnais y ffordd i'r theatr a dwedodd wrtha i am ei dilyn hi; roedd ar ei ffordd yno medda hi. Na! Nid hon oedd pennaeth yr adran ddrama? Nid y ddynes fach eiddil yma â'i dwylo'n glymau gwynegon oedd yn dysgu myfyrwyr sut i symud a siarad ar lwyfan?

Ond ia, wrth gwrs *ia*! Dyma Norah ichi. Drwy ddycnwch a phenderfyniad y ddynes fach yma o Faesteg y dysgais i am ymladd. Nid yn unig ymladd ar lwyfan, ymladd am ran ac ymladd trwy gwrs, ond am ymladd trwy fywyd hefyd. Am aberthu. Am roi pan nad oes ganddoch chi ddim mwy *i'w* roi. Am ddal i ymladd pan 'dach chi wedi ymlâdd. *'Each time I find myself flat on my face, I pick myself up and get back in the race,'* canai'r hen Sinatra ar y chwaraewr recordiau yn Neuadd Dewi yn y coleg. A bob tro y gwelwn i Norah, teimlwn 'mod i'n gweld rhywun oedd yn brwydro brwydr arbennig o galed *ac* yn ennill.

Tanlinellu bob dim ddysgodd John Gwil imi ddaru Norah. Ac er bod ffasiwn a ffad y byd theatr yn newid o bryd i'w gilydd fel pob celfyddyd arall, mae hanfodion y grefft yn aros. 'Crefft gynta dynol ryw.' Bydd effaith i saib a synnwyr mewn goslef yn para'n bwysig hyd byth, bydd techneg ynganiad yr un mor bwysig a dewis eich pwyslais yr un mor hanfodol tra bydd theatr a drama yn bod.

Ond rhoddodd Norah rywbeth arall imi hefyd, ac fel y cynhwysyn hwnnw y bydda Cadwalader's yn gwrthod ei roi inni slawar dydd, dwi ddim yn meddwl y medra inna ddatgelu ichi be oedd 'rhywbeth arall' Norah chwaith. Nid am 'mod i'n rhy hunanol i'w rannu o hefo chi chwaith, ond am nad ydw i'n siŵr iawn be oedd o fy hun. Ond dwi'n gwbod 'i fod o'n dŵad o fyd hud a lledrith yn rwla; dwi'n gwbod fod Norah wedi llwyddo i ddatgloi rhyw gyfrinach Gymreig mewn nifer o'i myfyrwyr y byddwn ni'n ei gario hefo ni am weddill ein bywyda. Dwi ddim yn credu fod Norah, mwy na Rhian a finna, wedi llwyddo i'r un graddau hefo pob un o'i myfyrwyr; 'Tydi pawb ddim yn gwirioni 'run fath'. Roedd yn rhaid ichi gael rhyw gynhwysyn bach eich hunan i ddod hefo chi i'r coleg i fod yn llyfra Norah. 'Gweddw dawn heb ei chrefft' fyddai ei byrdwn yn amal. Ac weithiau, ar adegau rhwystredig gydag ambell fyfyriwr di-enaid rhoddai Norah ebwch ddofn yn yr iaith fain, *'Where you ain't got it, you can't put it'*. Oedd, roedd yn rhaid ichi gael y mymryn lleia o'r *'it'* yna rhywle yn eich ymysgaroedd cyn y bydda Norah yn closio. Ond diolch byth, ces ddrws agored ganddi, fel miloedd o rai eraill, hyd fy ymweliad olaf â 'Llwybrau', ei chartref ym Mhentremeurig, Caerfyrddin.

Ychydig cyn imi ennill y fedal ryddiaith ym Meifod yr es i a Rhian i ymweld â Norah ddwytha. Roeddwn newydd fy mhenodi yn Gyfarwyddwr Artistig y Theatr Genedlaethol a hitha, er gwaetha'i bregusrwydd, yn hynod falch o hynny. Gwyddwn na fyddai Norah ym Meifod ac felly fe rennais gyfrinach fach hefo hi ar ei haelwyd yn 'Llwybrau' am y fedal. Rhannodd hithau gyfrinach yn ei hôl. Roedd i dderbyn Medal y Cymrodorion y flwyddyn honno a gwyddwn fod hynny wedi plesio Norah yn arw.

Ar ddydd Sul y steddfod bu farw'r gawres fechan o Faesteg a chydig a wyddwn ar y pryd y byddwn i, o fewn ychydig fisoedd yn symud i 'Llwybrau' i fyw am ran helaeth o'r saith mlynedd nesa. 'Sdim whant arno chi i byrnu tŷ Norah o's e?' oedd cwestiwn Dewi James, ei sgutor, ar y ffôn. Brawd y diweddar Carwyn James yw Dewi, ac roedd rhyw angerdd yn ei ofyn. Roedd wedi clywed am fy mhenodiad ac

Norah yn coluro Eirlys Britton, 1976

yn benderfynol o gael Cymro i symud i'r tŷ a oedd wedi bod yn grud i ysgogi cymaint o fyfyrwyr Cymraeg y Drindod. Symudais i mewn i 'Llwybrau' fis Ionawr 2004 ac er imi symud yn ôl i'r gogledd erbyn hyn fedra i ddim gollwng fy ngafael ar yr hen le a'm hysbrydolodd i gymaint dros y degawdau. O ydi, mae muriau yn gallu dylanwadu ar ddyn hefyd, a chredwch chi fi, mae Norah 'yno o hyd'!

'Nes na'r hanesydd ...'

Ac yna daeth Wilbert. 'Tad y Theatr Gymraeg' os buo 'na un erioed, er fod rhai wedi bod yn gyndyn o gydnabod hynny. Dwi hyd y dydd heddiw ddim wedi deall yn iawn pam.

Y fo, yn anad neb arall, a sylweddolodd mai'r unig theatr genedlaethol Gymraeg oedd yn mynd i weithio yng Nghymru oedd un deithiol, yn ymweld â'r cynulleidfaoedd yn eu bröydd, ac y fo oedd yr un a lwyddodd i wireddu hynny yn ymarferol gan ddenu dilyniant ffyddlon i'w gynyrchiadau, ond crintachlyd iawn fu'r ganmoliaeth iddo am ei 'gweld hi'. Mae rhai'n trio deud mai rhyw genedl fach felly 'dan ni wedi bod erioed, yn ei chael hi'n anodd i ganmol ac yn llawer haws a pharotach i feirniadu. Dwn 'im. Falla mai ni ym myd y theatr a'r cyfryngau sy' waetha yn hyn o beth. Teimlo'n bod ni wastad yn gallu gneud yn well na'r arlwy sydd o'n blaena ni ar y pryd. Sgwn i?

Wedi fy nhair blynedd yn y Drindod, fe fentrais ar gwrs ôl-radd yng Ngholeg Cerdd a Drama Caerdydd. Roedd yn

Priodas Cefin a Rhian, 2il Hydref, 1976

Wilbert Lloyd Roberts yn agor yr ysgol

gwrs Cymraeg newydd a chan nad oeddwn eto'n teimlo'n hollol siŵr mai o flaen dosbarth o blant yr oeddwn am fod, gwnes gais i fynd yn ôl i'r coleg lle cefais gyfweliad mor ofnadwy rhyw dair blynedd ynghynt, ond y tro yma i astudio drama. Roedd Norah yn daer y dyliwn fynd i ddysgu yn syth ond roedd y llwyfan yn dal i dynnu ac ar ddiwedd ein blwyddyn yng Nghaerdydd daeth Wilbert draw i'r coleg i weld criw ohonan ni mewn cynhyrchiad a ches gynnig cytundeb i fod yn un o'r actorion craidd yng Nghwmni Theatr Cymru. Roedd Rhian, erbyn hynny, ar fin gorffen ei chwrs yn y Drindod, ac ar ddiwedd haf poeth '76 fe briodon ni ar ganol fy nhaith gyntaf gyda'r cwmni. Roeddwn yn rhan o griw enfawr o bum deg o gast a chorws yn fy nghyn-hyrchiad cyntaf gyda'r cwmni, sef 'Y Lefiathan' gan Huw Lloyd Edwards. Fel roedd Rhian ar fin cerdded i lawr y rhodfa i'r sêt fawr yng nghapel Glanrhyd fe redodd corws ac actorion y 'Lefiathan' i mewn o'i blaen ac ymuno yn y dathlu. Roedd 'na ganu da iawn yno!

Bu Wilbert yn gefnogol iawn i Rhian a finna drwy ein

'Y Dosbarth Anti Natal' yn Hanner Munud, un o gynhyrchiadau
Theatr Antur Cwmni Theatr Cymru: Siân Meredydd, Nia Ceidiog,
Valmai Jones, Mari Gwilym, Mei Jones a Cefin

Portread – cynhyrchiad gan fyfyrwyr Cymraeg Coleg Cerdd a Drama:
Wyn Bowen Harries, Mei Jones, Siân Meredydd, Elinor Roberts, Cefin,
Siôn Eirian a Huw Bala

gyrfa fel perfformwyr, ac wedi iddo adael y Cwmni Theatr, dan gryn gwmwl, cawsom hefyd y cyfle i gydweithio hefo fo ar gyfresi teledu gyda'r grŵp Hapnod. Aeth â ni allan i Doronto i gynrychioli Cymru yn yr Indigenous People's Theatr Celebration ac roedd tu cefn inni bob cam o'r ffordd pan aethom ati i sefydlu'r ysgol a'i ehangu maes o law gan godi adeilad pwrpasol iddi. Ychydig iawn a wyddwn ar y pryd y byddwn yn siarad yn ei angladd rhyw chydig fisoedd ar ôl agoriad swyddogol yr adeilad hwnnw yn Hydref 1995. Dywedodd wrth Ann, ei ferch, ychydig cyn ei farw mai fi yn unig oedd i ddeud gair yn ei gnebrwn. Dwi'n teimlo hyd heddiw fod hynny wedi bod yn fraint aruthrol.

Mae'n drist meddwl fod Wilbert wedi rhyw bylu tu ôl i feinwe'r byd perfformio tua diwedd ei yrfa. Tybed ai'r feirniadaeth a gafodd yn ystod ei gyfnod olaf hefo'r cwmni a barodd iddo gilio i'r cysgodion mor ddisymwth? Yn sicir dwi ddim yn teimlo inni fel cenedl dalu digon o deyrnged i weledigaeth Wilbert Lloyd Roberts, ond heb os, fo yw un o sylfaenwyr pwysica y theatr yng Nghymru ac mae Rhian a finna'n ddiolchgar iddo hyd heddiw am y gefnogaeth a'r ysbrydoliaeth gawson ni ganddo.

Esther – *Cwmni Theatr Cymru, 1979: Glyn Pensarn (Mordecai), John Ogwen (Aharferus), Stewart Jones (Haman), Maureen Rhys (Esther) a Cefin (Harbona)*

Hapnod – *mewn cyngerdd yn y pafiliwn, Eisteddfod Genedlaethol Ynys Môn, 1983*

'Mae comedi a thrasiedi
Yn agos iawn meddan nhw i mi ...'

A beth sydd a wnelo hyn â chychwyn ysgol ddrama, ·
meddach chi? Y cyfan, ddudwn inna wrthach chi.
Oni bai am y dylanwadau yma a'r cyfleon a gafodd Rhian a finna
dros y blynyddoedd fydda ganddon ni ddim syniad lle i
ddechra arni.

Wedi fy nghyfnod yn actor craidd hefo Cwmni Theatr ·
Cymru, bu'r pymtheng mlynedd dilynol yn gymysgedd o
berfformio, magu teulu, magu profiad, cyflwyno, sgwennu a
chyfarwyddo. Gweithio ar gyfresi drama i'r BBC a HTV, i
Theatr yr Ymylon, Theatr Crwban, Cwmni Hwyl a Fflag a
chyfarwyddo sioeau i'r Urdd.

Roeddwn yn cael mwy a mwy o waith cyflwyno erbyn·
canol yr wyth degau ac yn teimlo bod fy ngyrfa yn troi yn ei
hunfan. Er cymaint y gwnes i fwynhau cyflwyno rhaglenni
fel Ribidires a Ffalabalam a Noswaith Dda Mr Roberts,
doeddwn i ddim yn teimlo mai dyma oeddwn i i *fod* yn ei
neud rwsud. Roedd yna do newydd o actorion dan adain
Emily Davies wedi cael eu traed dan y bwrdd yng Nghwmni
Theatr Cymru erbyn hynny ac roeddwn yn teimlo 'mod i
wedi deud yr hyn yr oedd gen i i'w ddeud draw yng
Nghwmni Bara Caws. Roedd Rhian wedi mynd yn ei hôl i
ddysgu ac roedd hitha'n teimlo'i bod yn dechrau diflasu ar y
rhigol naw tan bedwar hefyd.

'Ti'n meddwl mai rŵan ydi'r amsar iawn i gychwyn yr
ysgol ddrama 'na ti 'di bod yn breuddwydio amdani ers
dalwm?' medda hi wrtha i un pnawn dydd Gwenar gwlypach
na'r arfar. Daeth y cwestiwn fel bollt o rwla a wyddwn i ddim
yn iawn sut i'w hatab hi.

Roedd yr amseru'n berffaith. Roeddwn i wrthi'n
cyfarwyddo sioe o'r enw 'Tri, Dau, Un' ar gyfer Eisteddfod

Hapnod mewn gwisgoedd a cholur cyfnod

yr Urdd Dyffryn Nantlle ar y pryd ac fe wyddai Rhian 'mod i'n cael y pleser rhyfedda yn gweithio hefo'r bobol ifanc ar y sioe. Roeddwn wedi cyfarwyddo un neu ddwy o sioeau cyn hynny i'r Urdd ac yn cnesu i'r gwaith fwy-fwy hefo pob cynhyrchiad a wnawn.

Ond o edrych yn ôl ar y cyfnod cychwynnol yn hanes yr ysgol mae rhywun yn sylweddoli fod yna sawl ffactor wedi bod yn rhan bwysig a oedd yn adeiladu at gwestiwn mawr Rhian. Un ohonynt, heb os, oedd streic athrawon 1986. Roedd Wil Lloyd Davies, prifathro Ysgol y Garnedd ar y pryd, hefyd yn Gadeirydd Pwyllgor Gwaith Eisteddfod Genedlaethol yr Urdd, Dyffryn Ogwen. Gan nad oedd y rhan fwyaf o'r athrawon yn gallu hyfforddi eu disgyblion i gystadlu yn yr Urdd y flwyddyn honno, oherwydd y streic, roedd Wil druan mewn dipyn o bicil. Beth pe tai *neb* yn cystadlu mewn na chylch na sir – sut steddfod fyddai yn Nyffryn Ogwen yn wyth deg chwech?

Yna daeth y weledigaeth. Beth pe taem ni, rieni'r ysgol, yn dod i mewn i gynnal yr ymarferion a chynnig rhyw fath o achubiaeth i'r steddfod y flwyddyn honno? A dyna a wnaed. Daeth rhyw lond dwrn ohonom at ein gilydd i 'sefyll yn y bwlch'. Ac yn sgîl hynny mi gefish inna'r cyfla i sgriptio cân actol a chyflwyniad dramatig, coreograffyddio dawns greadigol a'r ddawns ddisgo hyd yn oed! Fe ddysgais y côr a'r parti cerdd dant, y parti llefaru a'r gerddoriaeth greadigol. Er 'mod i'n gweithio hefo Bara Caws ar y pryd roedd bob eiliad arall o fy mywyd wedi'i lyncu gan ymarferion yn y Garnedd. I ychwanegu at y pwysau fe gytunais hefyd i gyfarwyddo sioe blwyddyn un, dau a thri y flwyddyn honno. Dwi ddim yn siŵr os mai hon oedd y flwyddyn gynta i'r Urdd gychwyn ar gynhyrchiad i'r oed yma ond dwi'n cofio mai fi oedd wedi bod yn plagio'r Urdd fod yr oedran yma wastad yn colli cyfle ar gael bod yn rhan o'r gweithgareddau nos yn yr Ŵyl. Pan ofynnodd Elvey Macdonald imi ddod i'r

'Y Gorllewin Gwyllt' – cân actol Ysgol y Garnedd, 1988; Tirion sydd yn y canol hefo'r het wen a'r trwmped.

Gareth Glyn yn ymarfer y corws i'r sioe 3-2-1, Eisteddfod yr Urdd, 1990

'Y Streic' – cân actol Ysgol y Garnedd, 1989;
Mirain ar y dde eithaf yn yr ail res

adwy i gyfarwyddo'r sioe 'Dan Oed' hefo plant Ysgol
Dyffryn Ogwen ac Ysgol Tryfan roedd hi'n anodd iawn
gwrthod ar ôl imi swnian gymaint. Ac felly rwy'n ystyried
1986 yn flwyddyn bwrw prentisiaeth bwysig iawn ar gyfer y
blynyddoedd oedd i ddilyn. Ond yn bwysicach na dim,
roeddwn yn mwynhau bob eiliad yn dysgu. Er gwaetha'r
ffaith 'mod i'n trio'i dal hi'n bob man, roedd y rhuthro a'r
rasio yn apelio ata i. Ac yn fwy na dim, roedd y gwaith ei hun
yn cydio ynof.

Ni ollyngodd Wil ei afael arna inna chwaith wedi i'r
streic dawelu. 'Ti 'di dechra rwbath yma rŵan yn do?' oedd
ei fantra, 'fedri di'm 'i gadal hi'n fan'na wyddost ti.' Roedd
gan Wil ffordd arbennig iawn o gael pobl i ildio iddo, a
doeddwn inna ddim yn eithriad. Mae'r ffaith i Steddfod yr
Urdd Dyffryn Ogwen ddigwydd o gwbwl, er gwaetha'r streic
a'r ffaith i'r babell gael ei chwythu i ebargofiant yn
rhyferthwy'r storm a gafwyd, yn brawf o'i ddycnwch a'i
arweiniad. Dwi'n bachu ar y cyfle felly i ddiolch i Wil yma,

am yr holl gyfle a ges i yn y Garnedd i fod ynghanol rhai o'r plant mwya brwdfrydig y bûm i yn eu dysgu erioed.

Roedd hynny'n rhan o'r abwyd wrth gwrs – bod ynghanol bwrlwm ifanc

Ond ni fu'r cystadlu heb ei frath. Roedd ambell ysgol eisoes yn cwyno fod yna annhegwch y tu ôl i'r hyfforddi. Roedd y ffaith 'mod i'n gweithio fel cyfarwyddwr yn y theatr broffesiynol yn dân ar groen ambell i athro ac adran. Byddai'r math yma o anesmwythyd yn ffrwtian yn dawel drwy gyfnod eisteddfodau cylch a sir ac yn codi i'r berw bob tro erbyn y genedlaethol. Ac wrth gwrs, fe fyddai'r cyfryngau ond yn rhy falch o droi'r gwres i fyny ar bob cyfla posib. Ond mwy am hynny yn nes ymlaen falla. Wil, ac nid y fi, oedd prifathro'r ysgol, ac felly fe adawn i iddo fo ymdopi gydag unrhyw wrthwynebiad a godai ei ben rŵan ac yn y man tra byddwn yn y Garnedd.

Yr hyn nad ydw i'n 'i ddallt hyd y dydd heddiw ydi 'mod i wedi gweld rheseidia o rieni sy'n gweithio yn y cyfrynga yn cynorthwyo, cyfarwyddo a hyfforddi disgyblion mewn ysgolion o Lwchwr i Lŷn, ond 'chlywais i fawr neb yn cwyno am hynny. Falla mai fi sy'n fud i'r feirniadaeth honno. Neu falla y cewch chi fwy o lonydd ond ichi beidio dod i'r brig yn rhy amal?

'Ac mae discord hyll a harmonî
Ar brydiau'n gwneud un symffonî'

O bosib fod y cyfnod y buon ni'n gweithio hefo Hapnod
wedi bod o fwy o fudd i Rhian a finna fel sylfaenwyr yr Ysgol
Berfformio Gymraeg gyntaf yng Nghymru nag yr oeddan
ni'n sylweddoli ar y pryd. Nid yn unig roeddan ni'n cael cyfle
i weithio hefo coreograffyddwyr a chyfarwyddwyr cerdd
profiadol ond roeddan ni hefyd yn dyfeisio, creu a
sgwennu'n caneuon a'n sgetsus ein hunain yn wythnosol.
Roeddan ni hefyd yn recordio sain y caneuon mewn stiwdio
ac yn rhan o'r golygu, trefnu a'r mireinio. Yn ogystal â hynny
caem fod yn rhan o drafodaethau'r colur a'r gwisgoedd ar
bob pennod ac felly roedd rhywun yn raddol bach yn cywain
gwybodaeth am bob adran ac elfen o berfformio heb yn
wybod inni bron.

Mae pob athro drama angen sylfaen o wybodaeth am
bob maes o lwyfannu ac roedd cael bod yn rhan o'r cyfresi
yma yn ysgol brofiad heb ei hail i'r ddau ohonom.

Roedd Hapnod hefyd yn un o lwyddiannau adloniant
ysgafn cynnar y sianel. Yn wir, roedd y rhaglen gynta'n cael
ei darlledu ar ail noson lansio'r sianel, ac roedd yr ymateb
iddi yn anhygoel. Bu'n llwyddiant o'r cychwyn cynta a
doeddan ni ddim yn gallu mynd i unman yng Nghymru ar y
pryd heb i rywun yn rwla weiddi ''Da chi'n gwbod y ffor' i
Nefyn?' Nid fy mwriad ydi brolio drwy sôn am lwyddiant
Hapnod, dwi'n nodi hyn am 'mod i'n credu bod y ffaith fod
Rhian a finna'n wynebau cyhoeddus/cyfarwydd ar y pryd
wedi helpu yn arw yn nyddiau cynnar sefydlu'r ysgol. Dwi
ddim yn credu y byddan ni wedi llwyddo i ddenu'r ffasiwn
niferoedd i ymaelodi â'r ysgol o'r cychwyn cynta oni bai ein
bod wedi ymddangos o bryd i'w gilydd fel perfformwyr ar rai
o raglenni poblogaidd S4C.

Ond fel athrawon y cafodd Rhian a finna ein hyfforddi i gychwyn, a dwi'n credu mai'r hyfforddiant hwnnw oedd y sylfaen pwysica sydd gennym hyd y dydd heddiw. Mae'n siŵr fod y cyfnodau a gawsom ar ymarfer dysgu yn ysgolion Pontiets, Aberteifi, Peniel, Y Dderwen Caerfyrddin, Dewi Sant Llanelli ac ym Mancffosfelen wedi rhoi y profiad a'r hyder inni sefyll o flaen dosbarth o blant a throsglwyddo gwybodaeth. Roedd y cyfnod ymarfer dysgu yn y Drindod ar y pryd yn drylwyr iawn, ac os oedd modd osgoi ambell ddarlith a thiwtorial a gwers biano o bryd i'w gilydd, doedd dim modd llaesu dwylo o flaen dosbarth o blant. Mae gan blant a phobol ifanc y ddawn ryfedda o wbod pan nad yw athro wedi paratoi. Weithiau mae'n rhaid addasu gwers, weithiau tydi'r wers ddim yn mynd i'r cyfeiriad yr hoffech chi fod wedi ei gweld hi'n mynd. Ond mae'n rhaid bod ganddoch chi ddeunydd *i'w* addasu, mae'n rhaid fod yna gynllun, amcan a nod i bob gwers sy'n werth ei dysgu. Roedd y cyfnod yma yn ysgol brofiad bwysig iawn yn ein datblygiad fel hyfforddwyr ac athrawon.

Yn ystod fy nghyfnod ymarfer dysgu olaf ym Mancffosfelen roeddwn yn brysur eithriadol hefo Cwmni Lleisiau Llên. Cwmni yr oedd Norah wedi ei sefydlu hefo rhai o'i myfyrwyr a chyn-fyfyrwyr i deithio Cymru hefo cyflwyniad llafar yn dathlu'r cyfieithiad newydd o'r Testament Newydd oedd Lleisiau Llên, ac roedd y gwahoddiadau i'w berfformio yn dŵad o bob cyfeiriad. Dwi'n cofio Norah'n rhoi un dyddiad ychwanegol imi ryw benwythnos a finna'n trio paratoi'r wers ar gyfer y bora Llun canlynol. Roedd fy nhiwtor wedi deud wrtha i ei fod am fy ngweld yn rhoi gwers fathamateg yn hytrach na'r gwersi cerddoriaeth, drama, dawns ac ymarfer corff yr oeddwn fel arfer yn eu cyflwyno o'i flaen. Ond waeth faint yr erfyniwn ar Norah i beidio derbyn y gwahoddiad, roedd fy mhrotestiadau yn ofer. Mynd fu raid, ac ymateb Norah pan

'Syr Tom Tell Truth' – *cynhyrchiad Norah yn Sain Ffagan*
o Tri Chryfion Byd

ofynnais iddi pryd y tybiai hi y byddwn i'n cael amser i baratoi'r wers oedd, 'Mae peder awr ar hugen i'w gael mewn diwrnod, Cefin. Gnewch yn fawr ohonyn nhw ac fe allwch neud gwyrthie.'

Roedd Norah'n iawn wrth gwrs, er nad mathamateg oedd fy mhwnc cryfa i o bell ffordd, a dyna'n sicir pam roedd fy nhiwtor yn awyddus i 'ngweld i'n mentro tu allan i nghryfder, ond llwyddais gyda gradd A ar fy ymarfer dysgu a dwi ddim yn ama imi fwynhau'r perfformiad y noson honno yn fwy na'r un arall hefyd. Dwi'n cofio meddwl fod rwbath yn bosib ond ichi roi eich bryd arno.

A dyna ni! Roedd y profiad i gyd ganddon ni, roedd y cefndir, dylanwadau a'r tystysgrifau ganddon ni i brofi ein bod yn gymwys i redeg ysgol ddrama. Roedd ganddon ni gefndir fel athrawon a hyfforddwyr a pherfformwyr. Ond beth am redeg busnes? Dim!

'Ceisiwch a chwi a gewch, curwch ac fe ...' gewch ddrws wedi'i gau yn glewt yn eich gwyneb!

Roedd gen i rhyw fath o Ysgol Ddrama fach gychwynnis i cyn Glanaethwy, gyda llaw. Theatr Ieuenctid Dan Oed oedd ei henw hi a than fantell Theatr Bara Caws y gweinyddid hi. 'Dan Oed' oedd enw'r sioe roeddwn i wedi ei chyfarwyddo i'r Urdd yn 1986 fel y soniais, a rhyw fath o barhâd o'r cynhyrchiad hwnnw oedd y syniad o gynnal gweithdai wythnosol gan rai o staff y cwmni ar y pryd. Fy mreuddwyd i oedd hi, a fi oedd yn bennaf gyfrifol am ei rhedeg. Pharodd hi ddim blwyddyn, a dyna'r wers bwysicaf imi ei dysgu erioed. 'Rhaid cropian cyn cerdded,' medda'r hen ddihareb. Wel, mi 'sgynish i'n glewt hefo 'Dan Oed'. Ond y gwir amdani ydi fod y rhan fwyaf ohonan ni yn syrthio'n glewt cyn cerdded ar ryw bwynt yn ystod y daith. Mwya'n y byd dwi'n meddwl am y peth tydi nifer o blant *ddim* yn cropian cyn cerdded. Ddaru'n plant ni rioed yn bendant. Ond dwi'n sicir ddigon fod y rhan helaetha ohonan ni wedi syrthio'n glewt cyn meistroli'r ddawn i gerdded.

Y broblem wrth gwrs oedd cael rhywun cyson wrth y llyw. Roedd pob un ohonan ni'n weinyddwyr, yn dechnegwyr ac yn actorion yn rhoi ein mewnbwn o brofiad i'r gweithdai. Ond bob tro yr awn i ar daith hefo cynhyrchiad, roeddem wedi colli un neu ddau o aelodau o'r Theatr Ieuenctid. Roedd ambell wers wedi'i chanslo am nad oedd neb yno i'w chynnal ac yn raddol roedd y grŵp yn colli diddordeb a minnau'n colli gafael arnynt. Yn y diwadd fe sgubwyd Dan Oed dan y carpad a dim ond 'arogl mwg lle bu'.

Ond yn rhyfedd iawn wnaeth fy awydd na 'ngweledigaeth ddim pylu o gwbwl. Os rhywbeth, roedd y methiant wedi 'ngneud i'n fwy penderfynol fyth o lwyddo. Roedd y llwyddiant a gaem bob blwyddyn yn cystadlu hefo'r Garnedd yn gadarnhad 'mod i'n mynd i'r cyfeiriad iawn a'r ffaith 'mod i'n mwynhau bod o flaen dosbarth o blant yn tanio mrwdfrydedd i fwy-fwy.

Ond nid fel ysgol breifat y gwelais i Glanaethwy ar y cychwyn. Bûm yn swnian ar y Cyngor Sir, Cyngor y Celfyddydau, y Swyddfa Addysg a'r WDA am arweiniad a nawdd ond drysau caëedig a gawn i ymhob man. Roedd gan Clwyd a Morgannwg eu Theatrau Ieuenctid; roedd Maldwyn a Cheredigion yn cynnig nifer o gyfleoedd i bobol ifanc drwy amrywiol weithgareddau a chynyrchiadau, ond doedd fawr ddim yn digwydd yng Ngwynedd. Meddyliwn yn siŵr felly y byddai nawdd a chefnogaeth o ryw fath ar gael i hyfforddi pobol ifanc yn un o gadarnleoedd yr iaith a'r theatr yng Nghymru. Onid ym Mangor roedd cartref ysbrydol y Theatr Gymraeg? Onid yng Ngwynedd yr oedd y gefnogaeth gryfaf i gynyrchiadau Cymraeg ar y pryd? Onid oedd cwmnïau annibynnol yn dodwy rownd bob cornel ar ddiwedd yr wyth degau a'r sefyllfa'n aeddfed am sefydliad o'r fath? A chan nad oedd ond dyrnaid o ysgolion Gwynedd yn cynnig drama fel pwnc ar eu hamserlen, roeddwn yn hyderus y cawn groeso twymgalon yn *rwla* i 'ngweledigaeth.

Dôn i ddim yn siŵr iawn be i ddeud wedyn yn sgil y mudandod a ddaeth o bob cyfeiriad.

Ond dwi am ddeud un stori fach am y cyfnod yma o swnian wrthach chi. Mi ges wahoddiad i fynd draw i Gaernarfon i gyfarfod un o swyddogion y cyngor na chofia i ddim ei enw o erbyn hyn, ond roedd o'n amlwg yn cynrychioli 'hamdden ac adloniant' neu gyffelyb adran ar y cyngor. Roedd Gwilym Humphreys ei hun yn rhy brysur i 'ngweld i y diwrnod hwnnw ac felly fe ddanfonwyd y creadur yma i drio delio hefo dyn oedd yn benderfynol o gychwyn ysgol berfformio yng nghyffinia Bangor. Roedd dwy ffaith yn ein herbyn. Roedd hi'n ddirwasgiad go hegar ar y pryd ac roedd o'n gwbod yn iawn nad oedd gan y Cyngor ddim ceiniog i wario ar ryw ffal-di-rals fel yr oedd gen i mewn golwg. Yn ail, wydda fo ddim beth *oedd* ysgol ddrama heb sôn am ffeindio nawdd i sefydlu un. Mi sgwenna i weddill y stori ar ffurf deialog. Dwi'n torri'n syth i'r *'chase'* chwadal y Sais . . .

Swyddog: Does ganddon ni ddim arian 'dach chi'n gweld.

Cefin: Fedrwch chi 'nghefnogi fi mewn unrhyw ffordd arall ta?

Swyddog: Ym mha ffor'?

Cefin: Stafall am ddim? Neuadd ysgol? Offer?

Swyddog: Dan ni 'di gwario'n o hegar ar Sdiwdio Barcud wyddoch chi.

Cefin: *(yn dechra gwylltio)* Gwrandwch! Fasa'm ots gin i tasa chi'n bildio'r Philharmonic Hall ym Morfa Nefyn bora fory, os na rowch chi ffidil yn nwylo'r plant lleol mond pobol ddŵad fedar berfformio ynddi!

Saib hir. Niwl yn dod fel llen dros lygaid y Swyddog.

Swyddog: Ma' ganddon ni gynllun hyfforddi athrawon yng Ngwynedd 'ma hefyd 'chi.

Cefin: O?

Swyddog: *(yn magu hyder)* Oes tad.

Cefin: Be dio?

Swyddog: Mae 'na grŵp o athrawon yn dŵad at 'i gilydd

ym mhob un o'r hen siroedd i drafod sut mae datblygu amball bwnc.

Cefin: Wela i.

Swyddog: Ia, Môn fydd yn gyfrifol am fathamateg, Arfon yn trafod gwyddoniaeth a Meirion yn mynd i drafod drama.

Cefin: Reit ...

Swyddog: Ia ... Maen nhw'n mynd i ga'l arbenigwr at grŵp o athrawon Cymraeg, 'Marfar Corff a Cherddoriaeth yno i drafod.

Cefin: Trafod be?

Swyddog: Wel, sut medran nhw gynnig drama 'mysg y tair adran am wn i.

Cefin: Athrawon Cerddoriaeth a Chymraeg yn dysgu Drama?

Swyddog: Ia ...

Cefin: Pwy 'di'r arbenigwr 'ma?

Swyddog: O .. dwn 'im. 'Sa chi'n licio i mi roi caniad i Mr Humphreys i ofyn iddo fo?

Cefin: Na, peidiwch â thrafferthu ... fi 'di o.

Swyddog: Be?

Cefin: Fi 'di'r arbenigwr maen nhw 'di'i wadd, a dw i'm yn siŵr iawn be ma'r arbenigwr i fod i neud, heb sôn am yr athrawon druan.

Tawelwch llethol.

Diwedd yr olygfa.

Diwedd y drafodaeth. Llen.

Roeddwn wedi cael galwad ffôn gan Derec Williams o
Ysgol y Berwyn y diwrnod cynt yn fy ngwadd i roi dipyn o
arweiniad i'r cynllun oedd yn yr arfaeth. Mae gan Derec, fel
finna, brofiad helaeth o weithio ym maes Theatr Ieuenctid,
ond doedd ganddo ynta, mwy na finna, y syniad lleia sut i
symud peth mor anodd â hyn yn ei flaen. Dwn 'im os
llwyddodd unrhyw un o'r grwpia yma yn rhai o ysgolion
Meirion i gael y maen i'r wal ond gwyddwn fod ambell athro
Cerdd ac Ymarfer Corff wedi'u llusgo i 'ngweithdai yn erbyn
eu h'wyllys a welwn i ddim bai arnyn nhw.

Profiad digon od fu ceisio cyflwyno fy mhwnc i rai o'r
athrawon yma mewn ychydig sesiynau ac fe ddudodd
amball un wrtha i'n blwmp ac yn blaen nad oedd ganddyn
nhw ddim math o fwriad symud o'u seddi yn ystod fy
sesiynau. Er 'mod i wedi gofyn iddyn nhw ddod i'r gweithdai
yn gwisgo dillad llac a sgidiau ysgafn roedd ambell i athrawes
yn eistedd yn urddasol mewn *twin-set* a sodla uchal ac yn
amlwg wedi sodro'i hunan yn ei sedd am y dydd. O sesiwn i
sesiwn fe lwyddais i gael y rhai mwya styfnig i neud rhyw
fymryn o waith symud a chymeriadu ond dwi ddim yn
meddwl imi lwyddo i'w cael i deimlo'n ddigon hyderus i
gyflwyno Lionel Bart, beb sôn am Bertolt Brecht, o flaen
dosbarth o blant chwaith. Fedrwn inna ddim dysgu llond
cae o lafna ifanc cyhyrog sut i luchio pêl rygbi chwaith, heb
sôn am ddeud wrthyn nhw be ydi'r rheola. 'Fel'na mae pob
bwyd yn cael 'i fyta,' fel bydda Mam dlawd yn arfar 'i ddeud:
'Pawb at y peth y bo.'

Ond roedd hi'n ddirwasgiad arnan ni ar ddechra'r naw
degau ac felly roedd toriada'n anorfod. Ac os oes toriada i
gael eu gneud, y pynciau celfyddydol sy'n gweld llafn y
fwyall gynta bob gafael. A chan mai drama yw chwaer fach y
celfyddydau bron ym mhob ysgol hi sy'n cael y cip cynta ar
y llafn yn amlach na pheidio.

Wedi deud hynny, mae rhai o ysgolion Cymraeg mwya'

3-2-1 *yn Theatr Gwynedd, 1990; yr actor Martin Thomas yw'r 'boy soprano'*
yng nghanol y rhes flaen a'r actor a'r canwr Emyr Gibson y tu ôl iddo

rhai o siroedd y de wedi defnyddio'u hadrannau drama a'u
cynyrchiada i chwifio baner eu hysgolion yn uchel iawn ers
degawdau bellach. Does ryfedd fod cnewyllyn brwd a
thalentog o actorion a chyfarwyddwyr wedi tarddu o'r
ffynnon arbennig yma ac mae prifathrawon yr ysgolion
hynny yn gallu tystio, dwi'n siŵr, i'r ffaith mai'r adran
ddrama a'i chynyrchiadau, yn amlach na pheidio, yw curiad
calon gweithgaredd eu hysgolion.

Ond yng Ngwynedd, ar ddechrau'r naw degau, doedd y
ffasiwn weithgaredd ddim yn bodoli, heb sôn am adran
ddrama a oedd yn dysgu'r pwnc i safon TGAU a Lefel A.
Roedd cenedlaethau o blant rhugl Gymraeg felly yn mynd
drwy'r rhwyd heb gael y cyfle i ystyried y theatr a'r cyfryngau
fel pwnc ac fel gyrfa. Roedd drws trugaredd wedi'i gau yn ein
gwyneb gan sawl ffynhonnell a allai ein cefnogi, ac felly, pan
laniodd Rhian adra'r bora dydd Gwener gwlyb hwnnw,
roeddan ni'n gwbod ein bod ar ein pennau ein hunain. Ni
a'n gweledigaeth, a neb arall.

'Dydd Llun, dydd Mawrth, dydd Mercher...'

A dyna lle roeddan ni wrth fwrdd y gegin yma yng Nghilrhedyn, ein cartref ym Mangor ers bron i ddeng mlynedd ar hugain bellach: Rhian newydd lanio adra o'r ysgol ac wedi cael llond bol ar lenwi ffurflenni yn lle dysgu a finna wedi cael llond bol ar fynychu cyfarfod arall hefo Theatr Bara Caws lle nad oedd ond llond dwrn ohonan ni wedi troi fyny. Yr unig wefr roeddwn i'n ei gael ar y pryd oedd cyfarwyddo sioe arall i flynyddoedd saith, wyth a naw (un, dau a thri yn yr hen brês!) ar gyfer Eisteddfod yr Urdd, Dyffryn Nantlle. Roedd y cynhyrchiad ar fin agor a Rhian yn gwbod y byddwn i'n hiraethu ar ôl y criw wedi i'r steddfod ddod i ben. 'Pam na gychwynnwn ni'r ysgol 'na ti 'di bod yn sôn amdani rŵan ta?' medda hi'n ddisymwth.

O fewn dim roeddan ni wedi creu ffurflen i'w dosbarthu i'r cast yn gofyn iddyn nhw sawl un fydda â diddordeb mewn mynychu gwersi drama ym Mangor o fis Medi ymlaen. Roedd yna rhyw chwe deg yn y sioe a dwi'n credu i bob un wan jac ohonyn nhw ymateb yn gadarnhaol. Mynd ati wedyn i greu ffurflen fwy swyddogol a'i dosbarthu hi i ysgolion, aelwydydd, clybiau ieuenctid a lle bynnag y byddai yna blant a phobol ifanc yn chwilio am rwbath i'w neud. Aeth y newyddion ar led fel tân gwyllt ac o fewn dim roeddan ni'n cael galwadau ffôn yn gofyn am ragor o ffurflenni i ffrindia a rhieni ym mhob cwr o'r wlad, o Glwyd i ben draw Ynys Môn, o Ben Llŷn i'r Bala, roedd y cylch diddordeb yn ymestyn llawer ymhellach nag yr oeddan ni wedi tybio.

Ac fel roedd y ffurflenni'n glanio'n ôl drwy'r post roedd ein cynnwrf a'n amheuon ninnau'n cynyddu'r un pryd. Beth petai pawb yn dechra colli diddordeb ar ôl tymor? Beth pe taem *ni*'n colli diddordeb ar ôl tymor? Be tasa 'na neb yn troi i fyny o gwbwl? Doedd ganddon ni ddim templed i'w gymharu nag unrhyw ystadegau i'w hastudio gan nad oedd neb wedi sefydlu dim byd tebyg yn y Gymraeg o'r blaen. Roeddan ni'n trio cysuro ein hunain fod y gwaith ymchwil a busnes wedi ei neud ond roedd 'na fwy o niwl nag o heulwen fel roedd mis Medi 1990 a'r dyddiad lawnsio'n nesau.

Yn ychwanegol at y gwersi nos roeddan ni hefyd yn cynnig gweithdai i ysgolion yn ystod y dydd. Roedd hyn yn rhyw fath o sicrwydd inni'n dau tasa 'na un elfen o'r busnes yn syrthio'n glewt roedd ganddon ni wastad elfen arall y gallen ni'i ddatblygu. Wedi'r cyfan roedd ganddon ni forgais i'w dalu, plant i'w bwydo, photocopïwr a chyfrifiadur i'w prynu, stafelloedd i'w llogi, cyfeilyddion i'w talu, ac roedd y ddau ohonan ni newydd roi'r gorau i ddwy swydd yr oeddan ni'n eitha llwyddiannus yn 'u gneud. Ond tasan ni'n gwbod ar y pryd faint o egni fyddai'r gweithdai ysgolion yma'n ei wasgu allan ohonan ni, o bosib na fyddan ni wedi cychwyn ar y fath laddfa.

Bob bora Llun, roeddan ni'n dysgu yn Ysgol Bodedern ac yna draw i Ysgol David Hughes ym Mhorthaethwy erbyn y pnawn. Ar foreuau Mawrth, roeddan ni yn Ysgol Llanbedrgoch ac Ysgol Llanedwen. Nôl wedyn i Fodedern ar fore Mercher, Ysgol y Garnedd ar bnawniau Iau, ac Ysgol Eifion Wyn ac Ysgol Eifionydd ar fore Gwener. Roedd hyn wrth gwrs *ar ben* ein gweithdai yng Nglanaethwy yn yr hwyr. Roeddwn i'n sgwennu caneuon actol *a* chyflwyniada dramatig i'r pedair ysgol gynradd, yn paratoi gwersi ffurfiol i'r Ysgolion Uwchradd, yn ogystal â dysgu a pharatoi deunydd ac arholiadau ymarferol TGAU a Lefel A yn Ysgol Eifionydd. Faint o greadigrwydd fyddai ganddon ni ar ôl i redeg ein hysgol ein hunain?

Ond dyna oeddan ni wedi addo ei wneud. Roedd y cytundebau wedi'u harwyddo a doedd dim troi nôl!

'Bant â ni!'

Ac ar fore Llun y nawfed o fis Medi 1990 y cychwynnodd Rhian a finna yn betrus dros Bont Menai am Ysgol Bodedern ym Môn. Roedd dau sesiwn hefo disgyblion blwyddyn naw yn ein haros, gallu cymysg, a phennaeth yr adran am inni gyflwyno sgiliau sylfaenol actio iddyn nhw. Roedd drama yn bwnc eitha diarth i'r disgyblion a dysgu mewn ysgol uwchradd yn ddiarth iawn i ninnau. Er hynny roedd Rhian a finna'n eitha cyffforddus o flaen y plant a newydd-deb y pwnc yn eu denu hwytha i wrando ac ymateb. Y stafell athrawon oedd yr her fwya. Pawb â'i fyg, pawb â'i sedd a phawb â'i rigol amser paned ac amser cinio. Trafod gwylia, trafod dosbarthiada a thrafod deiets.

Doedd y patrwm ysgol a gweithio rhwng clychau ddim yn beth diarth i Rhian wrth gwrs, roedd hi wedi dysgu yn Ysgol y Borth, Porthaethwy ac Ysgol y Graig, Llangefni am rai blynyddoedd. Ond roeddwn i wedi hen anghofio beth oedd aroglau clôcrwms ar dywydd gwlyb ac aroglau bwyd ysgol yn treiddio i'ch ffroenau fel roedd yr awr ginio'n nesáu. O gynnwrf stafell ymarfer Bara Caws â'i hogla mwg a thamprwydd yn gymysg, roeddwn i mewn byd hollol ddiarth. Ac er mor annwyl oedd y disgyblion, roeddwn i hefyd yn dechrau cael amheuon mawr a oeddwn i wedi gneud y penderfyniad iawn yn newid gyrfa a finna'n gneud yn iawn fel r'on i. Roedd Rhian hithau'n simsanu.

Wedi teirawr hir o ddysgu, roeddan ni'n dychwelyd i gyfeiriad Pont y Borth a bachu cinio sydyn cyn ail-gychwyn ar y sesiynau yn Ysgol David Hughes. Roeddan ni wedi gneud diwrnod da o waith ymhell cyn inni gychwyn ar y gwaith go iawn, sef mynd i'r afael â gwersi Glanaethwy eu hunain. Roedd ganddon ni dri dosbarth o blant dan ddeuddeg yn ein haros, y cyntaf yn cychwyn am chwarter

Ymarfer gwisg Cantamileniwm, *Theatr Gwynedd, 1996*

wedi pedwar, ac yna, fesul awr, y ddau ddosbarth arall. Tri deg o blant a rhieni eiddgar yn aros eu gwers ddrama gyntaf. Roedd y sesiwn gyntaf yn gyfle i gwrdd â'r rhieni ac i chwarae gemau dramatig hefo'r disgyblion a fyddai'n rhoi cyfle iddyn nhw ddŵad i nabod ei gilydd. Roedd croeso i'r rhieni aros i wylio'r wers gynta, ac ers un mlynedd ar hugain does yr un rhiant wedi eistedd mewn gwers ers hynny. Mae nhw wedi mynychu cannoedd o gynyrchiadau a chyngherddau ond tydi plant a phobol ifanc ddim yn gweithio'n dda iawn hefo rhieni'n cadw llygad.

Daeth yn amlwg o'r wers gyntaf un mai gan Rhian oedd y drefn ar gasglu ffioedd ac nid y fi. Collais sawl siec ac amlen yn y gwersi, a sylweddolais o'r wers gyntaf nad oeddwn i'n ffit i drin arian, yn enwedig arian pobol eraill. Dyna pam mai fy mantra ar ddechrau bob tymor pan mae'n amser casglu ffioedd ydi 'Rhowch o i Rhian'.

Ar y cychwyn roedd y plant yn talu £5 am awr o weithdy drama. Roedd y ffi hefyd yn cynnwys bod yn aelod o'r côr ac unrhyw ymarferion ychwanegol oedd yn cael eu trefnu. Yr un ydi'r patrwm hyd y dydd heddiw, ond bod y ffioedd wedi codi i gydfynd â graddfa chwyddiant wrth gwrs. Yr unig dâl ychwanegol a ofynnir gan y disgyblion yw ar gyfer ambell drip neu daith neu gystadleuaeth rydan ni'n ei drefnu o bryd i'w gilydd. Mae arian y gwobrau a thâl a dderbynnir am gyngherddau a rhaglenni teledu, elw gwerthiant CD's ac yn y blaen, ac yn y blaen, i gyd yn mynd i dalu costau y teithiau a'r tripiau.

Dathlu ein llwyddiant cyntaf yn Llundain yng ngŵyl Music for Youth, *1991*

Yn ystod ein blwyddyn gynta sefydlwyd Cymdeithas Rieni a Chyfeillion Ysgol Glanaethwy, cymdeithas sydd wedi para'n weithgar a brwdfrydig hyd heddiw. Pwrpas y gymdeithas oedd codi arian ar gyfer gwisgoedd a phrops a bysys a ballu. Roedd y ffioedd yn talu am yr hyfforddiant a'r cyfan oedd yn digwydd o fewn y gwersi. Ond buan iawn y daeth gwahoddiadau i chwarae ymhell oddi cartre, ac os oeddan ni am dderbyn y gwahoddiada hynny, roedd yn rhaid wrth gyllideb ychwanegol. Tydi tri bỳs i Lundain ac yn ôl a gwesty i ddau gant o ddisgyblion ynghanol y brifddinas ddim yn rhad. Ac eto, rhoi profiadau felly i'r plant oedd ein nod. Dyna pam y mae'r Gymdeithas rieni, dros un mlynedd ar hugain, wedi trefnu degau o Farbaciws ac Ocsiynau Addewidion, Ffeiriau Nadolig a Nosweithiau Coffi, Sioeau Ffasiwn a Stondina Bwyd yn yr Ŵyl Cerdd Dant a Sioe Antîcs Mona, Clwb Cant, Teithiau Cerdded, Teithiau Beics – fe wnaed y cwbwl hefo gwên a brwdfrydedd.

Mae'r gweithgaredd hefyd yn rhoi cyfle i'r rhieni gymdeithasu rhyw fymryn. Mae'r plant yn cyfarfod bob wythnos wrth gwrs, ac fel pob gweithgaredd ieuenctid sy'n ymwneud â'r celfyddydau perfformio, mae'r cwlwm cyfeillgarwch yn un tynn ryfeddol. Mae rhai o ddisgyblion cyntaf Ysgol Glanaethwy yn dal yn ffrindiau mynwesol, a hynny, yn fwy na dim arall, sydd wedi rhoi y boddhâd mwyaf i mi dros y blynyddoedd, gweld plant a phobol ifanc yn creu cyfeillgarwch aruthrol. Ond ychydig iawn o gyfle mae'r rhieni'n ei gael i gymysgu. Tacsi ydyn nhw, fel y bues inna am flynyddoedd, i'w plant. Ond bu gweithgaredd y Gymdeithas Rieni dros y blynyddoedd yn fodd iddyn nhwtha greu cylch newydd o ffrindia. O dro i dro bu gen i ddosbarthiada i rieni ac oedolion ac ambell i barti llefaru hefyd. A rŵan 'mod i adra, wedi treulio saith mlynedd rhwng de a gogledd hefo'r Theatr Genedlaethol, mae gen i awydd ail-afael mewn gweithgaredd o'r fath eto. Rhywun â diddordeb? Rhowch wbod!

O'r cychwyn cynta, roeddwn i'n gweld cyfeillgarwch yn ffynnu rhwng y disgyblion, ffiniau rhwng ysgol ac ysgol yn chwalu ac ambell garwriaeth yn blodeuo hefyd. Mae Rhian a finna wedi cael y fraint o fynychu priodas sawl un o'n cyn-ddisgyblion dros y blynyddoedd. Y diweddara o'r rhain oedd Martin Tomos a Sian Beca. Roedd Martin yn un o ddisgyblion cynta'r ysgol. Yn wir, roedd yn y cynhyrchiad o 'Tri, Dau, Un', sef y sioe gerdd a sbardunodd yr holl brosiect. Daeth Sian i fyny atan ni o Goleg y Drindod. Roeddwn yn cyd-redeg cwrs MA, Yr Actor a'i Lwyfan, hefo'r coleg ar y pryd a bu Sian hefo ni am flwyddyn yn canu'n y côr ac yn cymryd rhan yng nghynyrchiadau'r ysgol. Ac wrth gwrs, fe arhosodd yn y gogledd ac mae'n rhan o gast y gyfres 'Rownd a Rownd' byth ers hynny. Sian oedd fy Juliet yn y cynhyrchiad a wnes o'r ddrama hefo'r myfyrwyr MA. Ac ia, dach chi'n iawn, Martin oedd Romeo.

'Ac os weithiau byddi'n llwyddo – paid â deud, Hawdd i'th lwydd fynd trwy dy ddwylo wrth it ddeud'

Bu'r flwyddyn gynta'n flwyddyn anodd mewn mwy nag un ystyr. Roeddan ni wedi addo llawer mwy nag yr oeddan ni'n gallu ei gyflawni. Roeddan ni'n gwthio ein hunain i'r pen yn wythnosol. Ac yna ar benwythnosau roedd yn rhaid sgriptio'r holl ganeuon actol, cyflwyniadau dramatig, sioeau, gweithdai a gwersi ar gyfer yr wythnos ganlynol. Ond mae brwdfrydedd pobol ifanc yn cadw rhywun i fynd bob amser. Weithiau roedd y wers a dybiwn nad oeddwn wedi paratoi digon ar ei chyfer yn troi allan i fod yn un o wersi gorau'r wythnos, a hynny am fod y disgyblion eu hunain yn cael llwyfan i'w dychymyg. Rhowch chi sefyllfa i blentyn creadigol sydd wedi eistedd tu ôl i ddesg am oriau yn gwrando, sgwennu a bod yn dawel; rhowch chi gyfla wedyn i'r plentyn yna ddehongli ar lafar a does wbod be sy'n eich disgwyl. Y cyfan sydd yn rhaid i athro neud ar adegau ydi ysgogi, annog a chreu y gofod a'r awyrgylch iawn i lais y plentyn ei hun ffeindio'i ffordd. Mae angen llawer iawn o amynedd mewn gweithdai byrfyfyr. Weithau, fel mewn gêm bêl-droed, mae'r chwaraewyr yn araf yn twymo. Ond yna, mae un yn cynnig llinell sydd â sbarc ynddi ac mae un arall yn cael ei danio gan y gwreichionyn hwnnw ac mae fflam yn cael ei chynnau. Ac weithau mae'r cyfan yn troi'n un tân gwyllt lliwgar o ddrama, fel bydda'r awyr ar ddiwedd noson yng Ngŵyl y Faenol gynt.

Ac roedd yr egni'n ein cynnal hefyd. Brwdfrydedd a gwerthfawrogiad rhieni. Clywed y côr yn datblygu, a'r sŵn yr oeddwn i'n 'i ddeisyfu yn *dechra* torri drwadd. Egin. Tyfiant. Datblygiad. Gobaith.

Roedd y gwersi mwy ffurfiol yn dechrau cydio hefyd, ac

Taith feics noddedig gan y Gymdeithas Rieni
i godi arian

yn raddol bach roeddwn yn dechrau gweld siap ar ambell gynhyrchiad. Eto'i gyd, pan oeddan ni'n mentro i ambell gystadleuaeth yma yng Nghymru, llugoer iawn oedd y croeso a gaem. Rhian a finna'n meddwl falla mai newydd-deb y peth oedd yn lluchio pobol 'ddar 'u hechal braidd. Neb yn gwbod pwy oeddan ni'n iawn ac felly ddim yn siŵr sut oedd ymatab. Ac eto'i gyd, roedd ambell frawddeg yn fwy plaen a miniog eu traw. 'Pwy ma' rhein yn feddwl ydyn nhw?' 'Pa hawl sgin rhein i ddŵad yma i gystadlu?' 'Does dim angan hen lol fel hyn arnan ni siŵr iawn, be sgin rhein i gynnig na fedar 'u hysgolion nhw roi?' Fedrwch chi'm cam-ddehongli beirniadaeth fel yna. Roeddan ni'n gwbod fod 'na gyllyll wedi bod yn cael eu hogi ers sbel ond doeddan ni ddim yn gwbod eu bod mor finiog â hynna chwaith.

Ond roedd digon o rieni brwdfrydig yn ein hannog i'w hanwybyddu ac i gario 'mlaen hefo'r gwaith da. Trwyn ar y maen felly. Codi'n penna'n uchel a symud yn ein blaena.

Ond tydw i ddim yn un da iawn am ddelio hefo'r math yma o gynnen. Mae Rhian fymryn gwell na fi, ond mae amal

60

Cantamileniwm – Eleri Robinson, Llinos Davies, Branwen Davies, Elin Aaron, Carwyn Llŷr, Bethan Marlow, Rhys ap Trefor, Luned Emyr a Dylan Williams

gnoc wedi'i sigo hithau ar adegau. Fi, ar y dechrau, oedd ffrynt-lein Ysgol Glanaethwy wrth gwrs. Ac felly fi fydda'n cael yr ergydion c'leta i gychwyn. Wrth imi lacio'r awenau wedi symud dros dro i'r de bu'n rhaid i Rhian dderbyn sawl cnoc ar ei phen ei hun bach, a tydi hi fawr o beth i gyd!

Ar ddiwedd ein blwyddyn gynta fel ysgol, wedi gorfod derbyn ambell ganlyniad digon siomedig yn chwarae adra, roeddan ni ar ein ffordd i Wigan o bob man. Ar ganol darllen *The Road to Wigan Pier* gan George Orwell oeddwn i ar y pryd, ac yn edrych ymlaen yn ofnadwy at weld y lle. Ac fel George Orwell cefais inna siom o weld nad oedd *pier* i'w gael yno wedi'r cwbwl. Dylwn fod wedi gorffen y llyfr cyn cychwyn!

Ond os nad oedd *pier* yn agos i Wigan roedd y croeso yno'n dalpia. Roedd ymateb y corau eraill hefyd yn llawer llai negyddol na'r hyn yr oeddan ni wedi'i brofi yma yng Nghymru. Dechreuais ymlacio. Roedd ambell arweinydd arall yn gwenu arnan ni hyd yn oed. Cawsom feirniadaeth glodwiw a'r beirniad yn deud ein bod wedi ei symud hyd at ddagrau yn canu 'Huna Blentyn'. Doeddan ni ddim wedi cael y ffasiwn dderbyniad adra yng Nghymru. Oedd y gwynt yn dechrau newid cyfeiriad? Oeddan ni wedi troi cornel fechan o'r diwedd? Oedd 'na oleuni y pen arall i'r twnnel?

Ond syrthiodd fy nghalon yn glewt ar ddiwedd y cystadlu yn Wigan pan welais un tad go nobl yn dod tuag ata i a golwg go ffyrnig arno. Meddyliais ei fod wedi'i ffyrnigo gan fod y beirniad druan, rhaid imi gyfaddef, wedi bod braidd yn or-hael ei ganmoliaeth i Glanaethwy yn fy marn i. Edrychodd arna i'n sdowt a disgwyliais eto am y negyddol, am y tafod mileinig ac am feirniadaeth. Ac yna, medda fo, *'Eee lad, I 'ope your choir get through to finals, you were bloody great!'* Ysgydwodd law a dymuno'n dda imi. *'My daughter was in t'oother choir and she says that you were the best of the bunch, and she knows her music our Amy does.'*

O fewn y mis roedd gwahoddiad wedi dŵad i Glanaethwy gystadlu mewn tri chategori yn y Festival Hall yn Llundain, dod yn fuddugol mewn dau gategori yn y ffeinal a chael gwbod ein bod ni hefyd wedi ennill lle yn y *Barclays Music Theatre Awards* yn yr Hydref. O'r diwedd roedd petha'n edrych ar i fyny. *Roedd* 'na ola y pen arall i'r twnnel, ac oedd, mi *roedd* y gornel wedi'i throi.

Erbyn yr hydref roeddan ni'n dychwelyd adra hefo llond ein haffla o wobrau o'r Queen Elizabeth Hall yn y South Bank ac yn teimlo ein bod yn hwylio hefo'r gwynt o'r diwedd.

'Rwy'n mynd i wlad y Saeson
A'm calon fel y plwm ...'

. . . meddai geiriau'r hen alaw werin. Ond nid am yr un rheswm y byddai'n calonnau ninnau fel y plwm wrth deithio i Loegr, ond am y rheswm syml ein bod ni'n gwbod y caem

Côr Glanaethwy yn yr Albert Hall, Llundain

ni fwy o groeso yn perfformio yno nag yn ein gwlad ein hunain. Daethom yn ôl o'r *Barclays Music Theatre Awards* wedi ennill pump o wobrau hefo dwy sioe gerdd, un ar y Brenin Meidas a'r llall yn adrodd stori'r ymfudo i Batagonia. *'Pure Welsh Gold'* meddai Richard Stilgoe, un o'r beirniaid o'r llwyfan, ac Alan Fluck yn cyhoeddi *'You all ought to be declared a Welsh National Treasure and how lucky Bangor is to have you all.'* Geiriau o anogaeth fel yma oedd yn ein cadw i fynd ar y pryd. I wynebu beirniadaeth a llythyrau di-enw cas roedd angen ryw hwb arnom!

Ond peidiwch â 'ngham ddallt i, roedd ganddon ni gefnogwyr brwd a hyd yn oed ddilynwyr yma yng Nghymru ymhell cyn ein llwyddiant ar y cyfryngau yn Lloegr. Roedd ein cynyrchiadau yn Theatr Gwynedd yn llenwi'r lle am wythnos gyfan a'r staff yn ein croesawu ni â breichiau agored. Mae theatr lawn yn codi calon unrhyw un, ac roedd ein sioeau yn amlwg yn denu byseidiau o gynulleidfa drwy ddrysau'r hen theatr (heddwch i'w llwch!).

Yn sgil hynny wrth gwrs roeddan ni'n gneud dipyn o elw bob blwyddyn a byddai'r cyfan o'r arian yn mynd yn ôl i'r Gymdeithas Rieni i'w gwario ar adnoddau a bysys a gwisgoedd i'r sioe nesa'.

Ac yna llythyr. Llythyr a'n lloriodd yn llwyr ac a wnaeth inni ystyried rhoi'r ffidil yn y to cyn ein bod wedi cael cyfle i fagu stêm yn iawn.

'Mi dderbyniais bwt o lythyr'

Roedd y llythyr wedi ei ddanfon atom gan Gymdeithas Athrawon Cerdd Gwynedd, ac wedi ei stampio'n swyddogol iawn, *iawn* gan Gyngor Sir Gwynedd, 25-11-1991. Dyfynnaf y llythyr air am air.

Annwyl Mr Roberts,

Mewn cyfarfod diweddar o Gymdeithas Athrawon Cerdd Gwynedd mynegwyd pryder gan nifer o athrawon y Sir ynglŷn â'r newid yn agwedd rhai o'u disgyblion sydd hefyd yn Aelodau o Ysgol Glanaethwy.

Y teimlad cyffredinol oedd nad oedd rhai o'u disgyblion bellach yn ffyddlon a theyrngar i weithgareddau sy'n mynd ymlaen yn eu hysgolion dyddiol.

Fel y gwyddoch, o dan y Cwricwlwm Cenedlaethol – cyfraith gwlad, nodir ei bod yn ofynnol i ddisgyblion gymryd rhan mewn gweithgareddau all-gyrsiol o fewn yr ysgol.

Byddem yn ddiolchgar iawn am unrhyw sylwadau. Gobeithiwn fedru goresgyn y broblem o ddiffyg teyrngarwch a ffyddlondeb rhai disgyblion tuag at eu hysgolion dyddiol (gyda'n gilydd), a bod disgyblion yn sylweddoli ac yn gwerthfawrogi yr hyn a gynigwn iddynt yn eu hysgolion dyddiol.

Yn gywir,
Diana Davies
Cadeirydd Cymdeithas Athrawon Cerdd

Roeddan ni wedi arfer derbyn ambell lythyr di-enw go gas yn dyrnu o dan y botwm bol ond roedd tarddiad a thraw y

Llwyfan y Festival Hall, Llundain, Gorffennaf 1991. Mae Dylan, sydd yn y canol, rŵan yn ôl yn Llundain yn rhan o gast Les Miserables

llythyr yma wedi ein lluchio oddi ar ein hechel yn llwyr. Roedd 'na rwbath yn awdurdodol a bron yn fygythiol yn ei sŵn. I raddau roedd yn ein cyhuddo ni o beri i ddisgyblion ysgolion Gwynedd dorri 'cyfraith gwlad'.

Pan oeddan ni'n llunio'n hamserlen wreiddiol roedd Rhian a finna wedi ceisio sicrhau nad oedd dosbarthiadau'r disgyblion hynaf yn gwrthdaro hefo na cherddorfa sir nag Aelwyd yr Urdd lle bynnag yr oedd hynny'n bosib. Roeddan ni hefyd wedi egluro wrth bob rhiant ar ddechrau eu cytundeb hefo ni nad oedd yr un plentyn i gystadlu hefo Glanaethwy mewn unrhyw gystadleuaeth os oeddan nhw wedi'u dewis i'r un gystadleuaeth gan eu hysgolion. Roedd croeso iddyn nhw *ddysgu*'n cyflwyniad neu'n dehongliad ni ac yna'i berfformio mewn cyngherddau a chystadleuthau yr ochr arall i Glawdd Offa. Roedd hyn, yn wahanol i'r hyn yr oedd y cyfryngau yn ceisio'i ddarlunio, yn sicrhau na fyddai Glanaethwy'n dwyn 'hufen' unrhyw ysgol mewn unrhyw gystadleuaeth. Yr eironi mawr oedd mai naw gwaithallan o bob deg, dim ond Glanaethwy fyddai'n cystadlu mewn sawl cystadleuaeth. Ond fel dudodd yr hen Abraham 'slawar dydd, 'Fedrwch chi ddim plesio pawb bob amser . . .'

Felly fe wnaethon ni'n gora i drio plesio'r rhan fwyaf o'r bobol y rhan fwyaf o'r amser. Ond yn amlwg toeddan ni *ddim* wedi plesio athrawon cerdd Gwynedd! Dyna, felly, oedd byrdwn ein llythyr ninnau yn ôl iddyn nhw, gan awgrymu'n garedig ein bod yn cyfarfod i drafod y mater ymhellach. Wedi'r cyfan mae plant wedi mynychu ymarferion a dosbarthiadau dawns, jiwdo, pêl-droed, rygbi, athletau, bandiau, Aelwydydd, corau a ribidirês o weithgareddau eraill y tu allan i'w hysgolion dyddiol ers degawdau os nad canrifoedd bellach. Pam oedd Glanaethwy mor wahanol, meddach chi? Neu tybed a oedd trefnwyr a hyfforddwyr yr holl weithgareddau uchod yn cael yr un llythyr gan athrawon cerdd Gwynedd a'u bath? Yn wir, wedi'r holl gyfweliadau a rhaglenni'n cwestiynnu bodolaeth Glanaethwy dwi wedi gorfod eu gwynebu dros yr un mlynedd ar hugain dwytha, dwi'n cael fy hun yn gofyn yn amal tybed oes yna unrhyw sefydliad arall cyffelyb yng Nghymru sydd wedi gorfod cyfiawnhau ei fodolaeth yn y fath fodd? Bellach mae nifer o sefydliadau wedi codi ar yr un patrwm, a diolch byth, maen nhw i *weld* yn cael dipyn mwy o lonydd nag yr ydan ni'n ei gael.

Ac yn wir fe *gawsom* gyfarfod hefo 'Cymdeithas Athrawon Cerdd Gwynedd'. Ond dim ond dau oedd yno! Wedi'r llythyr ffurfiol ac eitha llawdrwm a ninna'n canslo gwersi a pharatoi atebion trylwyr, dim ond llai na llond dwrn drafferthodd i fod yn bresennol. Tila iawn oedd eu hamddiffyniad o'r llythyr hefyd a doedd y cadeirydd ei hun hyd yn oed ddim yn bresennol.

A thros y blynyddoedd, pan oeddwn i'n cael fy siarsio fod yn rhaid imi wynebu'r cyfryngau i gyfiawnhau hyn ac egluro'r llall weles i rioed yr un o'r rhai oedd yn pwyntio bys a oedd yn fodlon fy wynebu yr ochr arall i'r meic, dim ond cyflwynwyr a gohebwyr eitha pigog yn deud eu bod wedi 'clywed' fod hwn a hwn neu hon a hon yn meddwl hyn ac yn meddwl llall. 'Biti na fyddach chi wedi eu gwadd ar y rhaglen i drafod *hefo* fi' fydda f'ymateb bob tro. Ond y cyfryng-gwn oedd yno drwy'r amser, i frathu ar eu rhan.

Penderfynu gneud dim ddaru ni'n y diwedd. Roedd gan blant a rhieni hawl i ddewis eu diddordebau a'u dosbarthiadau nos eu hunain siawns. Ond nid dyna oedd diwedd y beirniadu o bell ffordd.

'Dechrau canu, dechrau cythraul?'

Dowch inni gael un peth yn strêt. Mae Rhian a finna wedi teimlo'n freintiedig ein bod ni wedi cael arwain ysgol berfformio i ieuenctid i feysydd a llwyfannau cofiadwy dros y blynyddoedd. Ond mae hen ystyr snichlyd i'r gair 'breintiedig' ym mrawddegau rhai llythyrau ac yng ngoslef rhai gohebwyr.

Roedd y sylw cynnar a gafodd yr ysgol yn gyfle i ni farchnata a physgota am ddisgyblion newydd. Ac ni fu erioed brinder o enwau ar y rhestr aros o'r cychwyn cynta. Wedi llwyddo i oroesi, hyd yma, drwy ddau ddirwasgiad, llwyddwyd i gadw'r nifer o ddisgyblion yn ddau gant a hanner bob blwyddyn. Dyna'r rhif rydan ni wedi glynu wrtho, ac wedi ymwrthod â'r demtasiwn o sdwffio rhagor i'r dosbarth er mwyn elw.

'Ond be 'dach chi'n neud hefo'r sdraglars?' glywai chi'n gofyn. 'Be am rheiny sy'n rhoi ffidil yn y to a chitha falla ar ganol cynhyrchiad?' Wel, dyma air bach o gyngor i'r rheiny ohonach chi sydd â diddordeb mewn cychwyn menter o'r fath. Cytundebwch dymor o flaendal pan mae'r disgybl yn cofrestru hefo'r ysgol. Bydd gofyn i'r rhiant wedyn roi tymor o rybudd ichi ei fod o neu hi yn bwriadu gadael. Gan eu bod eisoes wedi talu'r blaendal bydd eu tymor olaf hefo chi felly am ddim a bydd yn sicrhau fod ganddoch chi ddigon o amser i addasu a chael eilydd wrth gefn mewn da bryd. Doeddan ni ddim yn gneud hyn ar y dechrau ac roedd ambell ddisgybl yn diflannu dros nos heb rybudd na gair o ddiolch na ta-ta na dim. Prin iawn oedd y rheiny wrth gwrs, ond roedd o'n digwydd weithia. Roeddan ni hefyd yn casglu ffioedd bob hanner tymor. Gair arall o gyngor. Peidiwch! Gan nad ydi pawb yn talu ar amser beth bynnag mae talu ddwywaith mewn tymor yn arafu'r broses hyd yn oed yn fwy. Ar ben hynny mae'n naddu i mewn i amser y wers ac

Fury as 'professionals' take Eisteddfod glory

By Carys Roberts

THERE were fears this week that the Urdd would lose out if children are discouraged from competing on the county stage by the continued dominance of professionally trained drama school pupils.

The concerns have arisen following the success of pupils from Ysgol Glanaethwy, the privately-run part-time school for the performing arts, at Saturday's Eryri Eisteddfod for 12 to 15 year olds.

The shield for the school which accumulated the most points in the county round was awarded to Ysgol Glanaethwy, which is run by well-known Welsh entertainer Cefin Roberts and his wife Rhian on an after school hours basis in the Bangor area.

But Glanaethwy's success in the Eisteddfod, which was held at

Ysgol Brynrefail, Llanrug, has caused concern among some parents and teachers.

One woman from Carmel said she walked out in disgust after hearing that the shield for the most points had been awarded to the drama school.

"Ysgol Eifionydd, Porthmadog should have had the shield as they were the secondary school with the most points," said Mrs Margaret Jones, from Carmel.

"I'm not one for making a fuss about things but I do feel very strongly about this."

"To start off with Ysgol Glanaethwy isn't a proper school and it's only for those whose parents

can afford to send them there."

Ysgol Dyffryn Nantlle headmaster Dr Emrys Price Jones confirmed that similar concerns had reached him at the school.

"I have had meetings with Cefin and Rhian to discuss this, and I don't want to be too critical as I know that they do excellent work with the children," he said.

"But after saying that, what I don't like is seeing children from this school competing against their fellow pupils, and of course it doesn't only happen with this school.

"I don't want anyone to think that I'm being critical because we didn't win the shield. We have done as many times in the past and it's not sour grapes at all. I just think it could be the Urdd eisteddfod that suffers in the

end."

Dr Price Jones described it as a 'delicate situation' with valid points on both sides.

Porthmadog's Ysgol Eifionydd were runners-up overall to Ysgol Glanaethwy at Saturday's eisteddfod, but the headmaster there, Gwilym Hughes, said he had nothing to say except to wish Cefin Roberts and his Glanaethwy pupils all the best in the national final.

A spokeswoman for the Urdd's Eryri office said no-one had complained to them.

Cefin Roberts said he'd heard nothing about any complaints, and referred to the fact that the competition programme said the events were open to any Urdd member in the relevant age group.

Ofnau y bydd yr Urdd yn dioddef

Cythraul drama yn taro Steddfod

Gan Carys Roberts

MAE OFNAU y bydd darpar gystadleuwyr yn Steddfodau'r Urdd yn rhoi'r gorau iddi oherwydd llwyddiant disgyblion sy'n derbyn hyfforddiant mewn ysgol ddrama leol.

Daw'r ofnau wedi llwyddiant Ysgol Glanaethwy — yr ysgol ddrama rhan amser a sefydlwyd gan y cyn actor Cefin Roberts a'i wraig Rhian — yn yr eisteddfod sirol i blant 12 i 15 mlwydd oed a gynhaliwyd Dydd Sadwrn diwethaf yn Ysgol Brynrefail.

Aeth y darian i'r ysgol a gafodd y mwyaf o bwyntiau i Ysgol Glanaethwy ond doedd llwyddiant yr ysgol ddrama ddim wrth fodd pob rhiant ac athro.

Dywedodd dynes o Garmel ei bod hi wedi cerdded allan wedi clywed bod y darian am y mwyaf o bwyntiau yn mynd i Ysgol Glanaethwy.

"Ysgol Eifionydd o Borthmadog

nhw oedd yr ysgol uwchradd gyda'r mwyaf o bwyntiau.

"Tydw i ddim yn un am godi stwr," meddai Mrs Margaret Jones, "ond rydw i yn teimlo'n gryf am hyn."

Dywedodd Dr Emrys Price Jones prifathro ysgol Dyffryn Nantlle ym Mhenygroes bod cwynion tebyg wedi dod i'w glyw yn yr ysgol.

"Rydw i wedi cael cyfarfodydd gyda Cefin a Rhina i drafod hyn a tydw i ddim isio bod yn rhy feirniadol oherwydd fy mod i'n gwybod eu bod nhw'n gwneud gwaith ardderchog gyda'r plant.

"Ond wedi dweud hynny, tydw i ddim yn hoffi gweld plant o'r ysgol yma yn cystadlu yn erbyn eu cyd ddisgyblion, ac wrth gwrs tydy hynny ddim jyst yn digwydd gyda'r ysgol yma.

"feddwl," ychwanegodd, "fy mod yn bod yn feirniadol oherwydd nad y ni wnaeth ennill y darian. Mi ydan ni wedi ei hennill llawer gwaith a dim 'sour grapes' ydi hyn o gwbl. Rydw i jyst yn meddwl mai Urdd sy'n mynd i ddioddef yn y diwedd."

Doedd prifathro Ysgol Eifionydd, a oedd yn ail Ddydd Sadwrn, ddim eisiau gwneud unrhyw sylw heblaw dymuno'n dda i ddisgyblion Ysgol Glanaethwy yn y genedlaethol.

Dywedodd llefarydd ar ran swyddfa'r Urdd yng Nghaernarfon na wnaed unrhyw gwyn swyddogol iddyn nhw wedi'r steddfod a doedd dim felly a allen nhw ei wneud.

Dywedodd Cefin Roberts nad oedd yntau chwaith wedi clywed unrhyw gwynion, a mai mater i'r pwyllgor rhanbarthol fyddai rhywbeth felly beth bynnag.

Dywedodd bod rhestr testunau'r eisteddfod yn dweud bod pob cystadleuaeth yn agored i aelodau'r

Penawdau negyddol yn y wasg

rydach chi'n treulio mwy o amser yn gweinyddu nag yn dysgu. Mae ambell riant hefo dau neu dri o blant yn ddisgyblion yn yr ysgol ar yr un pryd. Os ydyn nhw'n cael trafferth hefo taliadau rydan ni'n gneud trefniant arbennig i daenu'r taliadau dros gyfnod.

Eto, yn wahanol i'r hyn mae'r cyfryngau'n ei bortreadu, nid plant breintiedig ydi'n disgyblion i gyd. Mae 'na nifer o sefydliadau wedi'n cefnogi yn y gorffennol i dalu am wersi'r disgyblion hynny sy'n dod o gartrefi difreintiedig. Gas gen i'r term yna, gyda llaw. Dwi ond yn ei ddefnyddio am mai dyna fyddai'r cyfryngau'n ein cyhuddo o fod pan gychwynnon ni, 'Ysgol i'r hufen a'r breintiedig'. Mae Rhian a finna hefyd yn cynnig llefydd i blant nad yw eu rhieni yn gallu fforddio i dalu am eu gwersi a chredwch chi fi mae'r rhan fwyaf o'r disgyblion hynny'n dŵad o gartrefi breintiedig iawn. Nid cyflog a thŷ mawr a char crand sy'n creu cartrefi breintiedig.

Dwi'n dyfynnu o 'Golofn Gas' Gwilym Owen rŵan:'

> '*A rŵan sylw neu ddau llai cadarnhaol am Brifwyl Môn. Dim ond gofyn ydw i . . . ond a welson ni duedd fach ond beryglus eleni mai dim ond pobl ifanc sy'n dod o deuluoedd eitha' cefnog sy'n cael lle yn yr haul eisteddfodol? Wele Ysgol Glanaethwy yn cael sylw a chanmoliaeth fawr drwy'r wythnos. Cystadlu mewn 40 cystadleuaeth a chymryd rhan yn noson Bryn Terfel. Ond ysgol breifat ydi hon. Dim ond y rhai all fforddio sy'n cael mynd yno.*'

A ninnau wedi cyhoeddi dro ar ôl tro ar ôl tro fod croeso i ddisgyblion o gartrefi llai 'breintiedig' ddod i'r ysgol am ddim, pam fod rhyddid i ddeud celwydd mor blaen yn cael ei ganiatau dro ar ôl tro ar ôl tro? Bob un o ddisgyblion

Glanaethwy yn dod o deuluoedd eitha cefnog? Mae croeso ichi ddŵad draw i weld a holi drosoch eich hunain. Saer maen oedd fy nhad a chadw siop oedd fy mam, ond fe lwyddon nhw i dalu am wersi canu, piano, dawnsio a gitâr imi am flynyddoedd. Rhieni'r dosbarth gweithiol sy'n danfon eu plant i bob matha o ddosbarthiada a chystadlaethau, credwch chi fi. A nhw sy'n cadw'n heisteddfodau bach ni i fynd hefyd.

Ond er inni deithio y tu hwnt i ffiniau Cymru ac er dod adra hefo gwobrau a chanmoliaeth ac wedi chwifio'r ddraig ymhob man, roedd y wasg a'r cyfryngau yn dal i roi sylw negyddol inni yn nes at adra. Ambell waith fe welem ryw bwt yma ac acw am ein llwyddiannau, ond yn amlach na pheidio roedd yna ryw gwestiwn neu sylw negyddol wrth ei gwt. *'Cythraul drama yn taro'r Steddfod'* a *'Fury as "professionals" take Eisteddfod glory'*. Haerodd Gwilym Owen na fyddai neb yn cystadlu yn yr Urdd cyn bo hir – 'Mi fydd yr hufen i gyd yn cynrychioli Ysgol Breifat Glanaethwy, a does 'na neb yn fodlon cystadlu pan maen nhw'n gwbod 'u bod nhw'n mynd i golli – hyd yn oed pobol ifanc yr *underclass*.'

Wrth gwrs fod hyn yn cynhyrfu'r dyfroedd, ac roedd Glanaethwy a'r wasg a'r cyfryngau bellach fel ci hefo asgwrn, a does dim rhaid gofyn pwy oedd yr asgwrn! 'Rhaid iti fagu croen eliffant sdi,' fyddai sylw amball un. Ond fy ateb bob tro fyddai mai dim ond eliffant fedar fagu croen eliffant. Mae ganddon ni hoel sawl daint ar ein crwyn meidrol i brofi hynny.

Ar ddechrau'r mileniwm newydd, a ninnau'n meddwl fod y genfigen a'r feirniadaeth yn pylu fe ddarllenais golofn Kate Crockett yn y cylchgrawn *Barn* oedd yn deud y byddai'n well ganddi neud chwe rownd bapur bob bora na deud unrhyw beth da am Glanaethwy. Prysuraf i ddweud mai canmol y gyfres ddrama 'Rownd a Rownd' yr oedd hi ar y pryd ac yn erbyn ei hewyllys yn gorfod cydnabod fod actio'r cast ifanc, nifer ohonynt o Ysgol Glanaethwy, yn arbennig o effeithiol. Gan mai fi hefyd oedd yn bennaf gyfrifol am fraslunio straeon 'Rownd a Rownd' yn ystod y cyfnod yma fe allech dybio y byddwn yn falch o wbod fod yna golofnydd yn canmol y gyfres. Ond roedd y beltan unwaith eto yn amlwg i'r ysgol. D'aeth Kate Crochett ddim ymlaen i egluro *pam* yr oedd Glanaethwy yn haeddu'r fath gelpan ond mi ges i gyfle i ofyn iddi wyneb yn wyneb rai misoedd yn ddiweddarach.

Mi ges alwad gan Eifion Glyn, o'r rhaglen 'Y Byd ar Bedwar' yn deud eu bod wedi cael achlust o gŵyn oedd wedi ei danfon i Urdd Gobaith Cymru am yr ysgol. Byrdwn y gŵyn, os cofiai, oedd fod sawl ysgol uwchradd yn y dalgylch yn teimlo'i bod yn annheg fod ysgol fel Glanaethwy yn cystadlu yn rhai o gystadleuthau'r Urdd. Hyd yn oed pe bawn yn gwrthod gwneud cyfraniad i'r rhaglen roedd 'Y Byd ar Bedwar' yn mynd i ddarlledu a rhoi sylw i'r gŵyn ac mai Kate Crockett fyddai'n holi. Cytunais i roi fy safbwynt ac i egluro unwaith yn rhagor fod disgyblion Glanaethwy i gyd yn deall fod yn rhaid iddynt roi blaenoriaeth i'w hysgolion dyddiol yng nghystadleuthau'r Urdd, ac nad oeddan nhw mond i gystadlu hefo Glanaethwy os nad oedd ganddynt unrhyw gyfle arall i fod yn rhan o'r Eisteddfod. Dyfynnais i wrth Eifion beth yn union yr oedd Kate Crockett wedi'i ddweud amdanom yn ei cholofn yn *Barn* a gofyn os oedd o'n meddwl y byddai'n well cael rhywun mwy di-dueddi i gyflwyno'r rhaglen. Doedd hynny ddim yn bosib yn ôl 'Y Byd ar Bedwar' ac felly daeth y criw ffilmio i fyny i weld yr ysgol wrth ei gwaith ac i'n croesholi.

Gofynnais i'r cwmni faint o wrthwynebiad oedd yna i Glanaethwy yn sir Eryri felly. 'O mae 'na dipyn o'r ysgolion uwchradd yn teimlo'n gry am y sefyllfa' oedd yr ateb a ges i. Felly mi es ati i sgwennu at bob prifathro yn sir Eryri yn gofyn iddynt beth oedd eu gwrthwynebiad yn union. Gan ein bod yn dysgu Lefel A i'r rhan fwyaf o'r ysgolion hynny roedd Rhian a finna'n awyddus i glirio dipyn ar y drwgdeimlad. Ond erbyn inni dderbyn ymateb yr holl ysgolion *doedd* yna ddim drwgdeimlad. Yn wir, roedd pob ysgol oedd yn cystadlu yn ein herbyn yn gefnogol i'r gwaith a wnawn a chafwyd neb i gyfrannu i'r rhaglen o'r ysgolion hynny. Mi fyddai'n rhoi dipyn mwy o sylw i'r bennod fach yma yn y gyfrol dwi'n baratoi i ddathlu un mlynedd ar hugain o hanes yr ysgol. Ond dwi am ddyfynnu ambell ymateb a ges i gan y prifathrawon hynny.

> *Fel y dywedais wrthych ar y ffôn y bore yma, ni wnaeth neb o'r cyfryngau gysylltu â mi i sôn am gynnwys y rhaglen nac i ofyn am farn yr ysgol. Yr oedd felly yn annisgwyl gennyf glywed cyfeiriad ar y rhaglen at 'farn ysgolion lleol'.*
>
> *Y mae llawer o'n disgyblion yn elwa yn arw o'r profiadau a gânt yng Nglanaethwy a'r sgiliau yr ydych yn eu datblygu. Pan fyddwn yn trefnu gweithgareddau yma yn yr ysgol, byddwn yn aml yn elwa ar dalentau a feithrinwyd yng Nglanaethwy.*
>
> *Rwy'n falch o gael y cyfle hwn i ddatgan ein barn fel ysgol – nid oedd yr argraff a roddwyd gan y rhaglen yn wir o gwbl o'n rhan ni.*
>
> (Ysgol Tryfan, Bangor)

> *. . . A gaf fi eich sicrhau chi fod Kate Crockett mor ddiarth i mi â Davy Crockett; ar wahân i'r ffaith fy 'mod yn gwybod mwy am yr hen Davy. Beth bynnag, petai wedi cysylltu â mi, byddai wedi cael safbwynt hollol wahanol i'r un a ddangoswyd ar y rhaglen. . .*
>
> (Ysgol Syr Hugh Owen, Caernarfon)

. . . Rhag hel dail o gwbl, gallaf eich sicrhau nad oes yna unrhyw sylw negyddol o fath yn y byd wedi dod o gyfeiriad yr ysgol hon. Yn wir, y gwrthwyneb sy'n wir - gwerthfawrogiad o bob agwedd o'ch gwaith . . . Felly, yn gryno, gair o ddiolch gonest am eich holl waith efo'n plant a'n pobl ifanc. Hir y parhaed hynny yn ei ystyr gyflawnaf.

(Ysgol Dyffryn Nantlle)

. . . Cefais wahoddiad gan Kate Crockett o dîm 'Y Byd ar Bedwar' i ymddangos ar y rhaglen ychydig ddiwrnodau cyn ei darlledu. Nid oedd yn gyfleus i mi wneud hynny nac yn ddymunol gen i. Dywedais wrthi yn hollol eglur fy 'mod, yn rhinwedd fy swydd fel Prifathro Ysgol Brynrefail, yn gefnogol iawn i Ysgol Glanaethwy ac yn ddiolchgar iawn am y gwasanaeth addysgol, cymdeithasol, celfyddydol a diwylliannol graenus a phroffesiynol rydych yn ei ddarparu ar gyfer ein pobl ifanc . . . Gwerthfawrogaf eich bod yn dethol a dewis yn ofalus pa gystadlaethau mae Ysgol Glanaethwy yn cystadlu ynddynt rhag torri ar draws yn ormodol ar waith sefydliadau fel yr ysgol hon. Y peth pwysicaf yw fod ein pobl ifanc yn cystadlu ac yn elwa o'r profiad nid ar ran pwy maent yn cystadlu . . . Byddwn innau hefyd â diddordeb mawr mewn 'olrhain gwir ffynhonnell y gwenwyn.'

(Ysgol Brynrefail)

. . . Gallaf gadarnhau na dderbyniais i na'r prifathro unrhyw ymholiad gan y cyfryngau na'r wasg ynglŷn ag Ysgol Glanaethwy.

(Ysgol Dyffryn Ogwen)

Daeth llif o ymateb wedi i'r rhaglen gael ei darlledu o bob cwr o Gymru, pob un yn gefnogol, ac yn erfyn ar yr ysgol i beidio a thynnu'n ôl o'r Urdd. Yn wir, roedd y gefnogaeth mor gadarn fel y bu bron inni a gwneud tro pedol i'n penderfyniad i gadw draw. Eglurais yn ystod fy nghyfweliad â Kate Crockett mai bwriad yr ysgol oedd peidio cystadlu yn yr Urdd wedi i'r 'Byd ar Bedwar 'roi llwyfan i'r gŵyn ac nad oedd canu, dawnsio a drama i fod i greu cecru a chynnen. Os oedd Glanaethwy, yn gam neu'n gymwys, wedi rhoi lle i hynny ddigwydd yna doedd gen i ddim dewis ond cadw draw o'r Urdd. Ond fel y gŵyr pawb erbyn hyn, ni wnaed unrhyw dro bedol wedi'r rhaglen. Y rheswm am hynny oedd i Rhian a finna ddod allan o'r eisteddfod sir ychydig wedi'r darllediad a chael fod rhywun wedi sgriffinio enw'r ysgol ar ein cerbyd yn fwriadol â chyllell. Roedd y drwg wedi ei neud a doedd dim troi nôl i fod.

Dim ond un llais a gefnogodd benderfyniad HTV i ddarlledu'r rhaglen. Yn ei golofn 'Y Gair Ola' yn *Golwg* fe ddwedodd Gwilym nad *'ydi o ddim yn beth rhyfedd o gwbl fod rhaglen 'Y Byd ar Bedwar' ar Ysgol Glanaethwy wedi cael ei cholbio'n galed yn y Wasg Gymraeg. O ddarllen y cyfraniadau a welwyd mewn print, mi fuasai rhywun yn credu fod rhaglen adran materion cyfoes HTV wedi bod yn fethiant llwyr ac wedi dilyn pwnc cwbl ddianghenrhaid.'*

Yr hyn na chyfeiriodd Gwilym ato oedd mai'r person fynegodd ei farn gryfaf yn y wasg oedd Dennis Davies o Lanrwst a oedd wedi cyfrannu i'r rhaglen ac ambell bwt negyddol a gaed ganddo oedd yr unig agwedd o'i gyfweliad a ddarlledwyd. Mae llythyr Dennis i'r *Herald* yn deud y cyfan:

Yn dilyn y rhaglen 'Byd ar Bedwar' Mawrth 4, 2002 –
Teimlaf yn siomedig iawn yn y ffordd y cafodd y rhaglen

ei golygu. Roedd Kate Crockett yn gwybod nad oedd gennyf i unrhyw wrthwynebiad i Ysgol Glanaethwy ond oherwydd na roddwyd y cwestiynau a ofynnwyd imi yn fy nghartref ar y rhaglen, nag ychwaith fy atebion yn llawn – gwnaeth hyn i'r gwylwyr amau fy 'mod yn cwyno am yr ysgol. Teimlaf i'm hatebion gael eu tynnu allan o'u cyd-destun.

Y siom fwyaf a gefais oedd y ffaith na chefais wybod fod Prifathro Ysgol y Berwyn wedi anfon llythyr yn cwyno am Glanaethwy. Mae hyn wedi bod yn bryder mawr imi, oherwydd does gennyf ond clod i Ysgol Glanaethwy bob amser, ac rwyf wedi dysgu llawer wrth wylio eu perfformiadau.

O ddarllen Yr Herald *sylweddolais mai Kate Crockett sydd yn casáu yr ysgol ac nid Eisteddfodwyr Cymru.*

Dwi wedi trafod y rhaglen hefo Dennis sawl gwaith ar ôl hynny ac wedi egluro wrtho fod siswrn golygydd yn gallu gneud y petha rhyfedda i atebion y gorau ohonom. Dwi'n gwbod i'r darllediad hwnnw ddeud ar iechyd yr hen Dennis am sbel. Un o'r rhai ffyddlona i bob steddfod ydi o, di-falais a di-wenwyn. Roeddwn i wedi maddau iddo ymhell cyn iddo ddod ata i ar faes y Steddfod â'i ben yn ei ddwylo yn cywilyddio. Pam yn enw'r greadigaeth na chafodd o wbod beth oedd tarddiad y gŵyn? Pam y dywedwyd wrtha i fod 'na nifer o brifathrawon y cylch yn rhan o'r gŵyn yma pan mae'r llythyrau uchod i gyd yn profi i'r gwrthwyneb? Cha'i byth mo'r atebion wrth gwrs, ond mae gen i hawl i'w gofyn.

Dyma olwg ar ochr dywyll sefydlu a gweithredu fel ysgol – ond dwi ddim am ei hanwybyddu chwaith. Mae'n bwysig i unrhyw un sy'n sefydlu busnes i wbod fod modd brwydro drwy'r cyfnodau anodd fel dwi'n gobeithio inni brofi.

Cân actol Eisteddfod yr Urdd Bro Conwy, 2000

Breuddwyd Roc a Rôl – *un o sioeau cynnar yr ysgol*
(*Owen Arwyn yw'r unawdydd*)

'Mae gen i dipyn o dŷ bach twt ...'

Wedi pum mlynedd o helcid offer a thaclau a gwisgoedd o un neuadd ysgol i'r llall fe fentron ni adeiladu ein hysgol ein hunain. Er cystal y croeso a'r gefnogaeth a gawsom gan brifathrawon Ysgol David Hughes, y diweddar, annwyl Dafydd Whittall, a Wil Lloyd Davies yn Ysgol y Garnedd, doedd hi ddim yn hawdd rhedeg y dosbarthiadau o adeiladau benthyg. Weithiau byddai gofyn inni symud i stafell ddosbarth lle nad oedd piano ar ei chyfyl, neu i'r gampfa lle nad oedd gan yr un o'n disgyblion y syniad lleia lle roedd hi. Dwi'n cofio un wers lle roeddan ni'n agosáu at gynhyrchiad go bwysig ac roedd y neuadd lle'r arferem ymarfer, Neuadd Uned 1, yn cael ei defnyddio fel stafell newid i dwrnament rygbi yn Ysgol David Hughes. Gofynnwyd inni felly symud i leoliad arall. Roeddwn i wedi rhoi cyfarwyddiadau manwl ar ddrws y neuadd i'r disgyblion lle roedd y wers yn cael ei chynnal ond doedd dim golwg o'r genod. Es i nôl i Neuadd Uned 1 a fan'no roedd y genod yn ll'gadu'r hogia rygbi'n newid!

Felly doedd dim amdani ond prynu safle ein hunain yn rwla. Ond safle yn lle? Roedd pob capel gwag a dybiem oedd yn addas unai'n llawn o bydredd sych neu'n anaddas o safbwynt Iechyd a Diogelwch a pharcio.

Roedd hen ysgolion a neuaddau pentre yn rhy ddiarffordd neu gost yr atgyweirio'n fwy o drafferth nag o werth. Ac yna fe alwodd Freda Eames draw. Roedd hi'n gynghorydd y Blaid ar y pryd ym Mangor Ucha ac wedi clywed ein bod yn chwilio am safle. 'Da' chi 'di ystyried Parc Menai o gwbwl?' medda hi wrthan ni. 'Lle?' medda ninna. 'Parc Busnes newydd ar dir y Faenol.' A dyna neuthon ni. Ac i dorri stori hir yn fyr fe welon ni blot bach go handi ym Mharc Menai, ei brynu a chael pensaer i gynllunio'r ysgol.

Ond tydi hi ddim yn stori mor fyr â hynna chwaith yn anffodus. Biti na fydda hi! Wedi dewis ein safle ar Barc Menai a cheisio caniatâd cynllunio i adeiladu ysgol berfformio ar y plot, cawsom ar ddallt fod y Prif Swyddog Cynllunio ar y pryd, Gwyn Hughes, yn gwrthwynebu'r cynllun. Ei ddadl oedd nad oedd Parc Menai yn addas ar gyfer ein math ni o fusnes. Gan nad oeddan ni'n deall digon am reolau cynllunio roedd yn rhaid inni lyncu ein siom a derbyn y sefyllfa nes i Freda Eames ein perswadio fod gennym berffaith hawl i roi cais i mewn. 'Ond maen nhw eisoes wedi ei wrthod,' meddwn i. 'Wel rhowch un arall i mewn ta,' oedd ymateb Freda. Darbwyllodd ni fod sawl ffordd o gael Wil i'w wely ac inni beidio rhoi'r ffidil yn y to mor rhwydd. Roedd Parc Menai yn ei ddyddiau cynnar bryd hynny a Freda'n benderfynol o gael y maen i'r wal. 'Mae Coleg Menai yn rhedeg cyrsiau perfformio yno felly pam na chewch chi? Oes gan y Gwyn Hughes 'ma rwbath yn eich erbyn chi ne' rwbath?'

Es i nôl at Gwyn Hughes a deud wrtho beth oedd Freda wedi ei ddeud. 'Ia, ond dros dro mae Coleg Menai yno te? 'Dach *chi*'n bwriadu sefydlu'ch busnes yn llawn amsar yno tydach? Felly mi fydda i'n dal i wrthwynebu'ch cais chi.' Darllenais ei ymateb yn y *Mail* fore trannoeth. *'The college have been given temporary planning permission to use one of the existing units for a five year period. It is a one-off and the intention was not to change the use of the park.'* (Gorffennaf 1993.)

Doedd y Prif Swyddog Cynllunio yn amlwg ddim yn mynd i fod o'n plaid ni. Erbyn hyn roedd y cyfryngau wedi cael achlust fod 'na gais cynllunio i mewn a bod 'na wrthwynebiad i fod. Ces alwad ffôn gan Sian Pari Huws yn gofyn a fyddwn i'n fodlon gneud cyfweliad i'r brif raglen newyddion wedi'r penderfyniad. Cytunais innau i neud hynny er gwaetha'r ffaith 'mod i'r eitha pesimistig erbyn

Y plot ar Barc Menai, cyn bod arno staen na chraith

hynny o ganlyniad i'r ymateb. Cefais ar ddallt nad oedd yr un cynghorydd yn cofio i unrhyw gais gael ei dderbyn pan oedd y Prif Swyddog yn ei wrthwynebu, 'Yn enwedig gan ei fod o mor gryf yn erbyn ych cais chi a Rhian.' Beth oedd sail ei wrthwynebiad ffyrnig, tybed? Petai rhywun wedi gweld gormod o ffilmiau Maffia, mi fyddai rhywun yn cael ei demtio i ddychmygu bod gan Gwyn Hughes fuddiannau personol ym myd y ddrama!

Doeddwn i rioed wedi bod mewn cyfarfod cynllunio o'r blaen a doedd gen i ddim syniad beth i'w ddisgwyl chwaith. Ond wedi cerdded i mewn i stafell y Cyngor yn neuadd y dref yr hyn dwi'n ei gofio'n glir ydi'r cynghorydd Pat Larsen yn pwyso 'mlaen yn ei sedd i ddeud yn dawel wrth Rhian a finna, 'Mond ishio chi wbod 'mod i o'ch plaid chi'ch dau. Ryw ffiffdi-ffiffdi ydi hi yma nôl be wela i. Pob lwc!'

'Wel,' meddyliais, ''Da ni ddim yn mynd i golli'n rhemp

ta.' Ac o dipyn i beth, wedi areithio tanbaid o'n plaid gan
ambell gynghorydd, dechreuodd y gwynt chwythu i'n
hwyliau. Byrdwn eu dadl oedd fod angen croesawu unrhyw
un oedd yn fodlon rhoi eu hangerdd a'u hegni i ysbrydoli
pobol ifanc. Hynny, a'r ffaith wrth gwrs fod y cyngor eisoes
wedi rhoi caniatâd i un sefydliad i fynd yno i wneud yn *union*
yr un peth yn barod, boed hynny dros dro neu beidio – ffaith
y llwyddodd Gwilym Owen i'w hepgor o'i ymateb diduedd
ar Radio Cymru fore trannoeth wedi inni lwyddo yn ein
cais: 'Onid oedd pawb sydd o bwys yn y Gymru sydd ohoni
wedi anfon llythyr at y pwyllgor yn cefnogi'r cais,' oedd
honiad Gwilym Owen. 'Ac wele pob rheol a chynllun a
daflwyd o'r ffordd a chododd pob un eu llaw yn unfryd,
unfarn i droi clust-fyddar i argymhelliad y Prif Swyddog,'
medda fo wedyn.

Wel sgersli bilîf Gwilym! Bosib *fod* yna ryw lond dwrn
wedi sgwennu i'n cefnogi ni, ac fel y dudoch chi ar y pryd,
roedd yr Urdd yn un o'r rheiny oedd y tu cefn i'n cais. Ond
nid yr Urdd yw 'pawb sydd o bwys yn y Gymru sydd ohoni'
– a rŵan roedd o'n destun prif newyddion S4C! Tipyn o
Ysgol Berfformio yn ceisio caniatâd cynllunio i redeg eu
busnes yn un o brif straeon y dydd. Diar mi!

Ond fel dudish i, mae Coleg Menai yno o hyd, ac wedi
cael caniatâd i fod yno heb na ffws na ffwdan o fath yn byd.
Pam dudwch? Ddaru'r cyfrynga rioed drafod hynny. Wel,
dim i mi gofio beth bynnag. A diolch i'r drefn, mae
Glanaethwy 'yno o hyd' hefyd. Ond dim ond prin wedi
dechrau oedd ein brwydr hefo'r adran gynllunio.

O fewn mis daeth rhybudd y byddai'n rhaid inni roi to
llechi ar ein hadeilad i gyd-fynd â rheolau Parc Menai.
Byddai hyn wedi codi'r gost yn aruthrol inni ac ymhell y tu
allan i'n cyllideb. Ond pam meddach chi fod hyn yn
digwydd pan oedd y rhan fwyaf o'r adeiladau yn y Parc hefo
to aliwminiwm? Bu'n rhaid inni wneud cais arall a barodd

Richard Stilgoe yn cyflwyno gwobrau'r Barclays Music Theatre Awards i
Edward Elwyn a Mirain Haf yn y Queen Elizabeth Hall, Hydref 1992

oedi'r broses yn o arw. 'Mhen hir a hwyr cafwyd caniatâd i
beidio defnyddio llechi. Codwyd yr adeilad, er mawr
ddathlu.

Agorwyd yr adeilad yn swyddogol i fonllefau o ryddhad
ac ambell ddeigryn. Ond prin fod y gwydrau wedi'u golchi
nad oedd yna beltan arall yn ein haros. Codwyd treth o
£20,000 y flwyddyn ar yr adeilad. Roedd y tir ei hun wedi
costio £50,000 inni, ac yna'r cynllunio a'r adeiladu yn agos at
£200,000 arall. Nôl ym 1995 roedd £20,000 o dreth ar ben
hynny yn dipyn o slap. Bu'n rhaid cwtogi ar y cynllun
gwreiddiol, ac yn 1995 felly, dim ond dwy ran o dair o'r
adeilad y llwyddwyd i'w godi. Bu'n rhaid i'n pensaer, Alun
Meirion, ailedrych ar y cynlluniau a thorri corneli ffwl pelt.
Un neuadd ymarfer yn lle dwy. Dwy storfa yn lle pedair.
Dim stafell newid a dim llyfrgell. Oedd yna rywun yn rwla yn

Yr adeiladu

trio chwalu'r freuddwyd? Fyddai'r sdraen ariannol yma a osodwyd arnom y gwelltyn olaf a fyddai'n sigo cefn y camel? Bu bron iddo â gwneud.

Wrth gwrs, fel pob sefydliad arall, bu chwilio mawr am nawdd i'n cynorthwyo gyda'r fenter. Ddaeth yr un ddima o Gymru. Ond tyrchodd ambell un yn ddyfn i'w pocedi yr ochr arall i'r ffin gan gynnwys £5,000 gan Richard Stilgoe, un o'n beirniaid cyson yng nghystadlaethau cerddorol Llundain. Roedd sawl un o'r beirniaid yn Llundain wedi troi'n gefnogwyr brwd i'n gwaith erbyn hyn. Ond yr un hen gân oedd hi yn nes at adra o hyd; a dim ond yn ddiweddar iawn y ces wbod gan feirniad a gyfaddefodd wrtha i dros beint ei fod wedi bod ar rai paneli yn cloriannu yn y gorffennol lle roedd ambell un wedi mynegi wrtho eu bod yn teimlo 'na ddylai Glanaethwy ennill y tro yma,' a hynny *cyn* y gystadleuaeth! Rhyfedd o fyd.

Ddiwedd y mileniwm roedd brwydr arall ar ein dwylo i geisio lleihau'r dreth a oedd wedi dechrau'n sigo. Glyn Humphreys-Jones fu'n brwydro ar ein rhan i 'sgafnu dipyn ar ein treth, ac wedi hir ymladd i drio cael Tribiwnlys Gwerthuso Gogledd Cymru i weld a gwrando ar ein cais daeth y newyddion da yr oeddem wedi aros amdano. O edrych yn ôl dros y papurau perthnasol, mae'n debyg i'r holl achos gymryd bron i bedair blynedd i ddod i benderfyniad. Cwtogwyd y dreth o bron i £20,000 y flwyddyn i lawr i lai na £9,000 er gwaetha'r ffaith fod ganddon ni rŵan estyniad ar yr adeilad gwreiddiol. Mi gawson ni Ddolig go lew y flwyddyn honno os cofia i'n iawn!

'Ymlaen â'r gân'

Ond roedd yn rhaid cadw wyneb cyhoeddus. Roedd y cynnwrf o gael ein cartref a'n hadnoddau a'n gofod ein hunain yn cynnal y disgyblion a ninna. Roeddan ni'n gallu rhoi lluniau o'n cynyrchiadau ar y waliau, arddangos ein tlysau a thystysgrifau, cynnal ymarferion ychwanegol heb y sdryffîg o orfod ffeindio a thalu am ofod arall. Cychwynnwyd cynnal cyrsiau Lefel A a ThGAU i'r disgyblion hynny nad oedd y pwnc yn cael ei gynnig yn eu hysgolion dyddiol. Rhoi mwy o gyfleon a theithio ymhellach oedd y nod. Dod i'r brig yng nghystadleuthau *Music For Youth* a'r *Sainsbury's Choir of the Year*. Dod i'r brig yn Llangollen. Cael gwahoddiadau i berfformio yn y Swistir, yr Iwerddon, yr Alban, Bwlgaria, yr Iwcraen, yr Eidal, Hwngari, a'r Weriniaeth Tsiec. Ymddangos yn Neuadd Albert a'r Festival Hall ac ar raglenni fel Blue Peter. Rhannu llwyfan hefo Cleo Lane a Johnny Dankworth, Prunella Scales a Wayne Sleep. Roedd drysau'n agor a'r cyfle'n dod i ledaenu gorwelion, ac englyn Tudur Dylan rŵan ar lechen ar wal y neuadd yn atgoffa pawb nad y dysg oedd ein desgiau.

Glanaethwy

Nid ei dysg ydyw desgiau – na gweithio
　　Yn gaeth i sŵn clychau,
　　Ond doniau gwych plant yn gwau'n
　　Gariad at gân a geiriau.

Cawsom noson i'w chofio yn agor drysau'r adeilad newydd led y pen. Daeth cannoedd o'n ffrindiau draw i ddymuno'n dda. Cardiau a cherddi'n rhes a Rhian a finna ar ben ein digon. Carreg filltir bwysig i'r ddau ohonom, a

Tudur Dylan a finnau'n rhoi'r byd yn ei le!

*Cyfarfod Radio Cymru gyda Chylch yr Iaith adeg
ymgyrch yn erbyn seisnigo'r cyfryngau Cymraeg*

chawsom y fraint o gael Wilbert Lloyd Robers yn bresennol i ddadorchuddio'r englyn ar y llechen. Noson i'w thrysori.

Roedd canlyniadau'r arholiadau yn galonogol iawn bob blwyddyn. Erbyn canol y naw degau daeth consortiwm o brifathrawon Gwynedd at ei gilydd a gofyn a fydden ni'n fodlon dysgu Lefel A i'w disgyblion. Trefnwyd bod y disgyblion yn dod i Lanaethwy bob bora Gwener ac mae'r canlyniadau'n flynyddol yn uchel iawn, gyda'r mwyafrif yn pasio hefo gradd A neu B. Penodwyd staff ychwanegol a chynigiwyd cwrs TGAU mewn dawns yn ogystal â drama. Roeddan ni eisoes yn cyflogi cyfeilyddion, trefnwyr cerddorol, glanhawyr ac athrawon rhan-amser, ond roedd pwysau cynyddol ar Rhian a finna i gynnal yr holl weithgaredd yn dechrau mynd yn fwrn.

Ers deng mlynedd bellach mae Lowri Hughes wedi bod yn aelod hynod werthfawr o'r staff yn llawn amser ac yn ychwanegiad pwysig at y gweithlu. Bu hefyd yn gefn i'r ddau ohonom tra roeddwn i i lawr yng Nghaerfyrddin hefo'r Theatr Genedlaethol. Fel y rhan fwyaf o weithwyr caled tydi Lowri ddim yn hoff o gael ei chanmol ond mae ei hymroddiad wedi bod yn amhrisiadwy i ddatblygiad yr ysgol yn ystod y degawd y bu hi hefo ni. Fel yn wir y mae Einion Dafydd, ein trefnydd cerdd, a'n cyfeilyddion Elen Wyn Keen, Annette Bryn Parry, Dylan Cernyw a Huw Geraint Griffith i gyd wedi gneud cyfraniad anferth i lwyddiant Glanaethwy. A thros yr holl flynyddoedd ni bu yr un gair croes rhyngom. Mewn un mlynedd ar hugain o gydweithio does yr un ffrae wedi bod ymysg y staff; anghytuno weithiau falla, ond mae hynny wastad yn beth da. Fedar pawb ddim cytuno ar bob elfen o waith creadigol rownd y bedlan, ond dwi'n gobeithio'n bod ni wedi rhoi digon o gyfle i'n hathrawon a'n hyfforddwyr i dorri eu cwys eu hunain ac i roi eu stamp unigryw hwy ar y gwersi a'r cynnyrch.

Ar y nodyn arbennig yna, dyma gyfle i gyfeirio at

gyfraniad Einion Dafydd at waith y côr. Mae o wedi cynhyrchu mwy o ddeunydd inni na Lloyd Webber ac wedi gwthio ffiniau a chlustiau yn fwy na'r un cyfansoddwr arall y gwn i amdano! Gymaint felly nes imi fod yn dyst iweld ambell feirniad Cerdd Dant a Chanu Gwerin yn gwingo'n eu seddau ac yn stumio'n union fel tasan nhw wedi gorfod brathu dau lemon yr un pryd. Diolch, Einion!

Erbyn hyn roeddwn wedi cychwyn braslunio'r gyfres 'Rownd a Rownd' i gwmni Ffilmiau'r Nant. Roedd yn rhaid cael incwm o rhywle ychwanegol i dalu cyflogau'r staff, ond yn bennaf i dalu'r bil treth gwallgo oedd fel petai'n dodwy fel roedd y misoedd yn mynd heibio. Roeddan ni hefyd wedi cychwyn adeiladu rhan dau o'r ysgol gan fod y cynnydd mewn dosbarthiadau yn golygu bod dirfawr angen mwy o ofod. Erbyn hynny roeddan ni allan o'r dirwasgiad a phrisiau'r adeiladwyr wedi codi'n sylweddol. Bu'n rhaid codi'r ffioedd ond roedd rhagor o nawdd wedi dod i mewn erbyn hynny i noddi'r disgyblion nad oedd eu rhieni'n gallu fforddio'r gwersi.

Bu cefnogaeth Ffilmiau'r Nant a bellach gwmni teledu Rondo yn bwysig iawn inni fel ysgol. A braf yw eu gweld yn dal i noddi a chefnogi cynyrchiadau theatr a phrosiectau cyffelyb. Mae Rondo yn un o'r cwmnïau hynny sy'n sylweddoli na all yr un dim ffynnu heb hyfforddiant i fraenaru'r tir.

'A'n llên a droir yn lluniau'

Rhodied y cymeriadau – i'r neuadd,
  Dowch â'r newydd leisiau
  A storom oes ei dramâu,
  A'n llên a droir yn lluniau.

John Gwilym Jones

Tudur Dylan, y mab, a sgrifennodd yr englyn ddefnyddiwyd gennym i nodi agor rhan un o'r ysgol nôl yn 1995, a rŵan dyma'i dad, John Gwilym Jones, yn llunio'r ail englyn (uchod) i ddathlu agoriad yr estyniad yn 2000. Roedd yr ail neuadd fymryn yn fwy ac fe fuddsoddwyd mewn dipyn mwy o offer technegol gan ein bod bellach yn llwyfannu cynyrchiadau eitha nobl yn yr ysgol. Mae ynddi eisteddle i ryw gant o gynulleidfa ac mae'n ddigon hyblyg i ganiatáu inni lwyfannu'n cynyrchiada mewn bwa proseniwm, yn y

Bryn Terfel yn agor yr ail neuadd

cylch neu'n lletraws. 'Dan ni wedi gneud estyniad i'r tŷ yn ddiweddar ac mae pawb sydd wedi gneud estyniad yn gwbod pa mor braf ydi hi i gael mwy o le. Dychmygwch y rhyddhad gawson ni felly o gael dyblu'r gofod dysgu i dros ddau gant a hannar o ddisgyblion. Roedd posib ymarfer mwy nag un olygfa yr un pryd. Nefoedd! Mi gawson ni ddwy storfa ychwanegol a stafell goluro yn y fargen. Roeddan ni'n teimlo fod y busnes yn symud yn ei flaen, ac roeddan ni'n gallu cynnig gwell gwasanaeth i'n cwsmeriaid/disgyblion.

Roedd mwy a mwy ishio gneud lefel A ac wrth inni gychwyn ar ein hail ddegawd fel ysgol roedd nifer cynyddol o'n disgyblion yn mynychu cyrsiau actio yn y Guildhall, Rada, Mount View a Choleg Cerdd a Drama Caerdydd wedi gadael yr ysgol. Er mai canran fechan o'n myfyrwyr sy'n mynd ymlaen i fyd perfformio, mae'n braf gweld fod yna ddegau o'r rheiny a ddewisodd barhau ym myd perfformio yn ymddangos nid yn unig ar lwyfannau yma yng Nghymru ond mae nifer ohonynt bellach wedi perfformio ar rai o lwyfannau'r West End a Stratford, wedi gweithio i'r National Theatre yn Llundain ac i'r Royal Shakespeare Company yn ogystal â rhai o'n prif gwmnïau yma yng Nghymru.. Does dim sy'n rhoi mwy o wefr i ni'n dau na gweld y disgyblion yn llwyddo ar y llwyfan ac ar y sgrîn.

Cefais alwad ffôn gan un o ddarlithwyr y Guildhall tua'r cyfnod yma yn gofyn a ga'i hi ddod i fyny i weld yr ysgol. *'You send us such a high standard of pupils every year I just want to know what is your secret,'* medda hi. Rhaid imi gyfaddef inni deimlo cryn falchder o dderbyn cais fel hyn yn enwedig â'r wasg Gymraeg yn dal i frathu.

Erbyn i'r estyniad gael ei godi, roedd yr annwyl Wilbert Lloyd Roberts wedi marw. Ces y fraint o siarad yn ei gynhebrwng a chyfle i ddiolch iddo am osod seiliau mor gadarn i bob un ohonom sydd wedi gweithio yn y theatr Gymraeg byth ers hynny. 'Falla mai fi osododd y seilia,'

*Dathlu pen-blwydd yr ysgol
yn ddeg oed*

*Ennill Côr yr Ŵyl yn Eisteddfod
Genedlaethol Sir y Fflint, 2007
(a'r côr iau yn dod yn ail)*

medda fo wrtha i ar noson yr agoriad, 'Ond ganddoch *chi*
ma'r brics.'

Bryn Terfel ddaeth i agor rhan dau o'r adeilad a chafwyd
noson arall i'w thrysori. Roeddan ni wedi cael y fraint o ganu
mewn cyngerdd yn y pafiliwn hefo Bryn yn yr Eisteddfod
Genedlaethol ym Môn y flwyddyn cynt, ac mi gaiff geiria
Bryn orffen y bennod yma a chyfle ar yr un pryd i ddiolch
iddo am ei gefnogaeth dros yr holl flynyddoedd. Diolch iti
Bryn.

*Mi faswn i wedi rhoi fy nhroed dde i fod yn aelod o Ysgol
Glanaethwy, ac efo fy nhroed dde o'n i'n cymryd
penalties . . .*

Rhian yn coluro Gethin Rhys – South Bank, Llundain 1996

Derbyn Cymrodoriaeth Prifysgol Bangor, 2001

Seremoni'r Fedal Ryddiaith a Mirain yn darllen rhan o'r nofel

'Os bydda i byw un flwyddyn eto ...'

Ym Mafaria hefo Dafydd Iwan oeddwn i pan glywais y disgrifiad gora o'r hyn mae rhywun yn ei deimlo pan mae o'n rhedeg ei fusnes ei hun. Gŵyl Cartwnwyr Ewrop oedd yr achlysur, ac roedd yn gyfnod bach digon difyr. Ond be yn enw'r greadigaeth, meddach chi, roedd Dafydd Iwan a finna'n 'i neud yn mynychu'r fath ddigwyddiad? Mae Dafydd yn gallu tynnu llun yn ôl be dwi 'di ddallt, ond dwi'm yn meddwl ei fod yn gartŵnydd mwy na 'dw inna. Na, wedi mynd yno yr oeddan ni i wahodd yr Ŵyl i Wynedd y flwyddyn ganlynol – Dafydd fel cynghorydd a finna fel yr un fydda'n gyfrifol am adlonni'r cartwnwyr yn ystod eu harosiad yng Ngwynedd.

Yn y swper ar y noson ola roeddwn yn rhannu bwrdd hefo cartwnydd enwog iawn. Mor enwog fel nad ydw i'n cofio'i enw, ond fo oedd yn gyfrifol am gartwnau'r *Yellow Submarine*. Roedd ganddo stiwdio fawr ym Marselona ac ambell un arall llai o faint mewn sawl dinas arall dros Ewrop i gyd. Dyn llwyddiannus tu hwnt. Fe'm cyflwynwyd inna fel hyfforddwr a pherfformiwr iddo ac egluro bod gen inna fy ysgol berfformio fy hun yn ôl yng Nghymru fach. Roedd y cartwnydd ar fin ymddeol ac mi ddudodd –

'*I could tell that you had your own beezness before you opened your mouth,*' medda fo, dan wenu.

'*Oh yes. Why?*' gofynnais.

'*I can tell by thee concern in your eyes,*' medda fo. '*You see, I am now sellyng all my studios and I am letting go of thee tiger's tail.*' medda fo. Cartwnydd i'r pen, yn creu rhyw ddarlun oedd yn syth bin yn fyw yn fy nychymyg.

'*You see,*' medda fo wedyn, '*when you have your own beezness it is like holding a wild animal by the tail. This wild animal in my opinion is a tiger. You have to keep your distance but you must also hold on! And if you let go of thee tail for one moment your own tiger will turn around and eat you!'*

Roedd ei ddarlun mor fyw! Roedd y dyn yma wedi dal gafael ar gynffon ei deigr dros yr holl flynyddoedd ond roedd o rŵan wedi gollwng ei afael yn y gynffon ac wedi ei rhoi yn nwylo rhywun arall. Doedd dim straen ar ei wyneb o gwbwl. Roedd yn gwenu'n braf ac yn ddyn rhydd. A minna yn y fan honno, ym Mafaria, wedi gollwng gafael yng nghynffon fy nheigr am benwythnos ac yn meddwl lle byddai fy anghenfil innau pan gyrhaeddwn i adra!

Ond mae gen i ddofwyr teigrod go lew yn gafael yn y gynffon yng Nglanaethwy fel dwi wedi sôn eisoes. Ac eto, os mai chi sy'n rhedeg y sioe, fedrwch chi'm gollwng gafael yn rhy hir chwaith. Fel mae pawb sydd wedi rhedeg busnes yn ei wbod, os nad ydach chi yno wrth y llyw yn gyson buan iawn yr eith yr hwch drwy'r siop, ac mi fydd y teigr yn dynn wrth eich sodlau ac wedi llowcio'r hwch druan ers sbel.

Ac er bod Rhian a finna'n trio dyfalu pwy ddaw i afael yn y gynffon pan fyddwn yn teimlo fel rhedeg, tydan ni ddim wedi cychwyn pacio'n bagiau eto. Mi fydda'n braf gwerthu'r cyfan a mynd hefo mymryn o'r elw i ymddeol yn rhywle 'tu hwnt i bob beirniadaeth. Ond mi fydda ni'n dawelach ein meddwl o wbod fod rhywun arall wrth y llyw yn rhoi parhad i'r weledigaeth. Ar hyn o bryd tydi'r awydd hwnnw ddim yn cael ei ddangos o fewn y teulu. Rydan ni wedi darllen sawl hanesyn yn y gyfres fach yma lle mae'r plant yn parhau â'r busnes a'r traddodiad. 'Dan ni 'di gweld gymaint 'dach *chi* wedi gorfod 'i ddiodda' ydi'r byrdwn yn ein tŷ ni. Maen nhw'n gwbod pa mor anodd mae hi wedi bod; ond mae Rhian a finna'n dal i fyw mewn gobaith y newidian nhw'u meddylia ryw ddiwrnod. Mi fydda'n braf meddwl fod y busnes yn aros yn y teulu.

Ond wedyn, un teulu mawr 'dan ni wedi bod o'r cychwyn. Mae rhai o'r disgyblion cynta un wedi cadw mewn cysylltiad ac yn dilyn ein hynt ac yn dal i'n cefnogi waeth ble yn y byd yr awn ni. Rydan ni bellach wedi cychwyn côr arall yma yng Nglanaethwy hefo criw o'r cyn-ddisgyblion, sef 'DaCapo', a phwy a ŵyr na ddaw rhai ohonyn nhw i'r adwy pan fydd galw? Ond ar hyn o bryd rydan ni'n dal yma ac yn dal i fustachu i feddwl be gawn ni neud nesa', ac yng ngeiria'r hen gân werin honno 'os byddai byw un blwyddyn eto' mae'n siŵr mai yma byddwn ni yn cael ein hyrddio o un pen i'r wlad i'r llall yn gafael yn sownd yn yr hen gynffon beryglus yna.

Y côr iau, y côr hŷn a Da Capo yn gweithio ar y gyfres
'Glanaethwy'

'Mi gaf bleser anghyffredin ...'

Er mai dim ond o'r Urdd rydan ni wedi gorfod cilio'n llwyr, mae'n siŵr i'r praffaf a'r selocaf o'n cefnogwyr sylwi nad ydan ni bellach yn mynychu'r Brifwyl a'r Ŵyl Gerdd Dant mor aml ag y buom ni chwaith. Mae'r ateb yn y wasg unwaith eto, mae arna i ofn. Does dim math o surni yndda i wrth sgwennu'r pytia bach yma gyda llaw, ond falla y byddwch chi'n ddigon sylwgar i weld *fod* yna surni wedi bod ym meiro ambell un dwi wedi eu dyfynnu mewn ambell bennod. Mae'r surni hwnnw yn sicir wedi'n diflasu am gyfnodau dros yr un mlynedd ar hugain dwytha 'ma. A dyna pam 'dan ni wedi cilio.

Mae amball un ohonach chi wedi deud wrthan ni am beidio cymryd sylw o'r gwenwyn. 'Tydio'm byd ond eiddigedd Cefin bach' dwi wedi eich clywed chi'n 'i ddeud wrthan ni droeon. 'Peidiwch ag ildio i'r cnafon' yn un arall 'dan ni wedi 'i chlywed yn aml. A diolch ichi am ein hannog

Cainc a Hanner – *Fflur Medi Owen (Blodeuwedd) a Carwyn Llŷr (Gronw Pebr), Theatr Gwynedd 2002*

Malan, Medi a Manon – mae'n handi cael treilliaid wrth sgwennu ambell gân actol!

Mirain ac Owain

Tirion, Sioned ac Efan Jac

Rhian yn arwain y côr iau i fuddugoliaeth yn Llangollen

Cân actol 1997

Pedair Hunllef a
Breuddwyd, *1997;
ymhlith y cast mae Dylan
Williams, Gwyneth Glyn,
Bethan Hughes, Owen
Arwyn, Lleuwen Steffan,
Luned Emyr, Emyr Prys a
Siôn Llwyd*

a'n cefnogi fel hyn dros y blynyddoedd. Ond ma'r diolch penna i'n beirniaid credwch neu beidio. Er mor anodd ydi o i drefnu i gystadlu yn Llundain, yr Eidal a'r Iwcraen. Er mor gostus ydi o i fynd i'r Alban, Iwerddon a'r Swistir – a credwch chi fi, mae teithio hefo chwe deg o ddisgyblion i Tsieina dipyn drutach na mynd a nhw i steddfod Llanbedr-goch! Ac er cymaint o straffîg ydi o i gynllunio a pharatoi ein disgyblion i fynd i'r *World Choir Games* yn Tsieina ac i fynd i ddiddanu gwleidyddion y pum cyfandir yn Kuwait, mae o wedi gwthio ffiniau'r ysgol a'r disgyblion i'r eithaf. Mewn gwirionedd, does gen i ond diolch i'r beirniaid mwya miniog am hynny.

Ond a oedd rhywun yn rhywle yn trio deud rwbath wrthan ni wrth sgwennu petha fel hyn yn gyson? 'Plîs cadwch draw,' falla?

Ar y dechrau roedd teithio fwy-fwy dros y ffin i ganu yn rhwbio braidd yn erbyn y graen i'r ddau ohonan ni. Roeddan ni'n dau wedi bod yn rhan o ymgyrchoedd Cymdeithas yr Iaith ers dyddiau'r ysgol a choleg. Wedi cael ein harestio yn Llundain yn ystod ymgyrch y sianel ac wedi gwrthod talu nhrwydded sawl gwaith pan oeddwn i dipyn yn hŷn ond dim llawar mwy parchus. Trosglwyddo'n traddodiadau a'n hetifeddiaeth i'r 'bugeiliaid newydd' oedd un o brif amcanion y weledigaeth o'r dechrau. Roedd cyflwyno cerdd dant a dysgu alawon gwerin yr un mor bwysig â Shakespeare a'r Beatles. Ond yn raddol, bu'n rhaid inni arall gyfeirio'n o arw i gadw'r busnes i fynd. Dydi ymateb llugoer i'ch ymdrechion ddim yn arwydd da o lwyddiant, yn nac ydi? Falla i rai ohonach chi gofio inni gael ein colbio yn yr Ŵyl Cerdd Dant unwaith neu ddwy hefyd am ennill ar y parti gwerin. Doeddan ni ddim yn barti nac yn werin yn ôl amball un ac fe gafodd ei drafod hyd at syrffed unwaith eto. Lle gallsan ni droi? Doedd dim llawer o wyliau celfyddydol ar ôl lle roeddan ni'n teimlo fod croeso inni! Roedd Llangollen, wrth gwrs, yn dal i agor ei drysau lliwgar inni'n flynyddol, ac mae hud y llwyfan hwnnw yn dal mor ddengar ag erioed. Diolch amdano. Lle arall gawn ni fynd? *Music for Youth*? Y *Barclays Music Theatre Awards*? *Sainsbury's Choir of the Year*? Yr Ŵyl Ban Geltaidd? *Musica Mundi*? Y *World Choir Games*? Ia!

Ac felly dw i wir yn ddiolchgar i'n beirniaid am neud inni ofyn y cwestiyna y mae'n rhaid i *bob* busnes ei ofyn o bryd i'w gilydd sef – 'Reit ta! Os nad oes croeso inni'n y fan yna, lle'r awn ni nesa?'

Un o'n cyn ddisgyblion ddanfonodd wybodaeth inni am *Last Choir Standing*. Wedi gweld rwbath ar y wê fod y BBC yn chwilio am dalent corawl. Heb oedi, dyma lenwi'r ffurflen ac mae'r rhan fwya ohonach chi'n gwbod gweddill y stori gystal â ninna. Ond falla nad ydach chi'n gwbod am ambell i olygfa fach ddifyr ddigwyddodd tu ôl i'r llenni yn y BBC yn Llundain chwaith. Os am wbod mwy, yna prynwch y gyfrol nesa' i gael clywed chwaneg. Oes, ma' gin i rywfaint o ben busnes yn dal i fod ma' raid

Ond yn sicir fe roddodd y gyfres 'Last Choir Standing lwyfan dipyn mwy i'r ysgol, ac yn sgîl ein llwyddiant ar y rhaglen honno fe ddaeth nifer o gyfleoedd a gwahoddiada na fyddan ni wedi'u cael am bris yn y byd fel arall. Fe ddiflannodd ein gwylia ha y flwyddon honno i Abergofiant, fel y gwnaeth i nifer o'r disgyblion wrth gwrs. Roedd ambell un ohonyn nhw wedi'n rhybuddio ymlaen llaw na fyddan nhw'n gallu gneud pob rhaglen *tasan* ni'n llwyddo i fynd drwodd yr holl ffordd i'r ffeinal. Ond fel oedd y gystadleuaeth yn poethi a'r sylw yr oedd yr ysgol yn ei gael yn sgîl ein llwyddiant wythnosol fe glywais sawl un yn ffonio adra o Lundain ac yn deud – 'Dwi'm yn dŵad hefo chi i Sbaen wsos nesa OK Mam.' Finna'n deud wrthyn nhw eu bod eisoes *wedi* rhoi gwbod inni na fyddan nhw ar gael felly doedd dim rhaid iddyn nhw ganslo'u gwylia o gwbwl.

Last Choir Standing

Last Choir Standing

'Dwi'm yn mynd i golli rhaglen wsos nesa siŵr iawn! Be 'sa ni'n mynd allan yn y rownd yna a finna ddim yma!'

Roedd rhaid i'r disgyblion a ninna fyw yng nghwmni'n gilydd bob diwrnod yn solat am y gwylia cyfan. O'r eiliad roeddan nhw'n cyhoeddi fod Glanaethwy wedi mynd drwodd i'r rownd nesa, roedd yn rhaid meddwl am ddwy gân newydd i'w canu yn wythnosol. Gan mai dim ond rhaglen o ganeuon Cymraeg oedd ganddon ni erbyn y rhaglenni byw, yn wahanol i bob côr arall, doedd ganddon ni 'run gân yn ein *repetoire* oedd yn addas i'r gyfres. Y drefn wythnosol felly oedd mynd yn ôl i'r gwesty ar y nos Sadwrn i ddewis dwy gân newydd. Danfon y côr adra ar y bora Sul i gael rhywfaint o orffwys a mynd i gyfarfod y Cyfarwyddwr Cerdd i'r BBC yn Llundain hefo copi o'r ddwy gân roeddan ni wedi'u dewis. Gweithio hefo tîm o gerddorion i gael y ddwy gân i lawr i rhwng dau funud a dau funud deg eiliad. Danfod copi o'r fesiwn ddiwygiedig i'w threfnu'n ddarn corawl SATB a chael copi o'r ddwy gân yr oedd y corau i'w canu hefo'i gilydd. Teithio nôl ar y nos Sul a chyrraedd adref yn oria mân y bora. Dechrau dysgu nodau'r ddwy gân grŵp fore Llun gan obeithio y bydda trefniant o'n dwy gân ni yn cyrraedd cyn diwedd y dydd fel bod gan y côr o leia gopi o'r pedair cân cyn diwedd y dydd. Dysgu noda drwy'r dydd Mawrth. Dydd Mercher roedd y coreograffydd yn dod i fyny o Lundain i ddysgu symudiadau'r pedair cân inni. Erbyn y nos Fercher roedd 'na ddyn camera a sain yn glanio yn yr ysgol i ffilmio'r holl lanast. Roedd hwnnw wedyn yn cael ei ddanfon yn ôl i Lundain er mwyn i'r cyfarwyddwr gael llunio'i sgript camera a sut yn union i saethu'r caneuon. Dydd Iau yn gyfle i fireinio a chaboli. Ben bora Gwener yn ôl ar y bws i Lundain ac yn syth i'r stiwdio i ymarfer drwy'r dydd. Yn ôl i'r gwesty nos Wener a chael cyfle i gymdeithasu unwaith eto hefo'r corau eraill a dim cythraul canu yn agos i'r lle. Wir! Ymarfer drwy'r dydd Sadwrn, ond gan fod ganddon ni rai aelodau o dan 16 oed doedd rheiny, oherwydd rheolau oriau gweithio ddim yn cael dod hefo ni nes yn hwyrach. Cur pen yn fwy na dim arall wrth gwrs gan fod bob côr arall yn cael dwy awr yn fwy o ymarfer na ni a'r rhai fenga'n teimlo'm rhwystredig. Roedd hyn yn ychwanegu at y straen ond rhaid derbyn y drefn. Y rhaglen ei hun yn mynd allan yn fyw. Ambell un ddim yn credu fod y math yma o raglenni yn fyw go iawn ond credwch fi, maen nhw! Yna aros am ganlyniad y bleidlais a bant â ni! Y cylch yn cychwyn unwaith eto am wythnos arall.

Ond diolch i'r BBC fe gafodd y disgyblion brofiadau unigryw iawn yn ystod haf '08.

Cafodd Rhian a finna un o brofiadau gorau ffilmio'r gyfres yn ystod yr wythnos olaf un. Roedd y cynhyrchwyr wedi gofyn inni os oedd yna ryw achlysur y medrai'r côr berfformio ynddo yn lleol iddyn nhw gael ei ffilmio ar gyfer y ffeinal. Ar yr un patrwm â rhaglenni realaeth fel hyn roedd angen gweld y côr yn 'dŵad adra' ryw ben. Roeddan nhw am weld ein bws yn cyrraedd Glanaethwy ar ôl y rhaglen gynderfynol ac wedi trefnu y byddai maer Bangor yno a'r rhieni i'n croesawu, ond roedd angen achlysur mwy na hynny hefyd i greu teledu effeithiol ac i ddangos y gefnogaeth.

Ddiwedd yn ha' ar dir y Faenol? Roedd un digwyddiad yn neidio o'n blaena ni wrth gwrs, a hwnnw ar ein stepan drws! Ond a fydden ni'n cael gwahoddiad i Ŵyl Bryn Terfel o bob man? Mond unwaith fu'n rhaid gofyn ac fe roed y llwyfan inni yn ystod 'Tân y Ddraig' i neud ein gneud fel 'tai.

Yr un peth aeth trwy feddwl Rhian a finna ar union yr un adeg wedi cael cadarnhad fod y gwahoddiad wedi ei sicrhau: 'Sut groeso gawn ni?' Wedi profi sawl ysgwydd go lugoer yn nes at adra am flynyddoedd ac wedi dianc dros y ffin i gael derbyniad di-duedd, roedd 'na elfen o ofn yn perthyn i'r gwahoddiad yn gymysg â'r wefr. Bosib y bydd 'na ddyrnaid go dda o'n cefnogwyr ni yno i floeddio ar ein rhan, ond a fyddai'r sawl a grafodd ein car ni yn y steddfod sir honno flynyddoedd yn ôl yno hefyd? Doedd Glanaethwy ddim ar y rhaglen swyddogol ac felly mae'n bosib y bydda 'na griw go dda o'n hen elynion ni yn y gynulleidfa.

Falla, tasan ni wedi meddwl am y peth, bod y ffaith ein bod wedi cael y ffasiwn gefnogaeth a phleidleisiau o wythnos i wythnos yn arwydd bod yna fwyafrif tawel allan yn fan'na oedd yn mwynhau yr hyn roeddan ni yn ei wneud.

Rhyddhad mawr felly oedd gweld y fath ymateb ag a gawson ni ar y pnawn dydd Llun gwlyb hwnnw ar dir y Faenol. Fe beidiodd y glaw i ddechrau arni. Roedd y storm wedi pasio ac roedd 'na nifer go dda o'r gynulleidfa'n mwynhau mymryn o bicnic i gyfeiliant acwstig a'r bandiau mawr ddim eto wedi denu'r tyrfaoedd tua godre'r llwyfan. Ond unwaith y cyhoeddodd Bryn fod y côr yn mynd i ganu fe gododd y dyrfa fel un a heidio tuag atan ni yn bloeddio'u cefnogaeth. Roedd honno, fel y gallwch ddychmygu, yn funud go fawr i Rhian a finna. Roeddan ni wedi dŵad adra ac roedd y croeso a'r gefnogaeth yn rhywbeth y byddan ni'n ei drysori am byth.

CD ddiweddaraf y côr iau

'... nes daeth dydd Iau, dydd Gwener'

Mae sawl un wedi gofyn inni sut yn union mae Ysgol Glanaethwy'n gweithio. Dowch imi felly roi enghraifft ichi o drefn wythnos waith Rhian, Lowri a finna. Os byddwch chi'n canfod unrhyw fwlch yn yr wythnos waith, dychmygwch mai bryd hynny mae'r tri ohonom yn paratoi deunydd perfformio, cyfieithu caneuon, trefnu tripiau, gwestai, bysus, sgwennu llyfr i Wasg Carreg Gwalch, dewis rhaglen, talu biliau, paratoi gwisgoedd, trefnu cyngherddau, gneud props, peintio setiau, llenwi ffurflenni iechyd a diogelwch, marcio traethodau a pharatoi nodiadau i'r disgyblion lefel A a TGAU.

Ar bnawn dydd Llun mae'r gwersi ffurfiol yn dechrau. Mae un dosbarth dan 12 oed yn cyfarfod am awr o weithdy yn amrywio o weithio ar sgript ffurfiol, gweithdai drama a byrfyfyr neu ddysgu coreograffi ar gyfer gwaith y côr. Yn ystod yr awr nesa, bydd yr ail ddosbarth dan 12 a'r dosbarth dan 15 yn ymuno â'r dosbarth cynta yn yr ymarfer y côr iau am sesiwn o awr. Wedyn bydd y dosbarth cynta yn gorffen eu sesiwn tra mae'r ail ddosbarth dan 12 a'r dosbarth dan 15 yn rhannu'n ddau i gael eu gweithdai hwythau. Daw'r cyfan i ben tua hanner awr wedi saith ac yna'r gwaith clirio a thacluso'r llanast. Mae 'na dipyn go lew o daclau ac offer ynghlwm wrth ddosbarthiadau drama heb sôn am y copïau a thaflenni sydd hyd y lle wedi ymarfer côr!

Ar bnawn a nos Fawrth mae'r dosbarth dan 9 a'r dosbarth lefel A (blwyddyn AS) yn cyfarfod, un yn neuadd Huw (Rowlands) a'r llall yn neuadd Gethin (Rhys). Enwyd y ddwy stafell ymarfer ar ôl dau gyn ddisgybl a fu farw o fewn ychydig fisoedd i'w gilydd ac mae'r neuaddau mawr yn cadw'r cof am eu cyfraniad a'u ffyddlondeb i'r ysgol yn fyw rhwng ein 'cyfyng furiau'.

Bnawn a nos Fercher, cynhelir ymarferion ychwanegol os oes cystadleuaeth, cyngerdd neu sioe go fawr ar fin digwydd. Mae'n gyfle hefyd i fireinio unrhyw ddeunydd neu sgript sydd ar y gweill. Rydym hefyd yn paratoi unigolion ar gyfer clyweliadau neu gyfweliadau coleg. Mae'n gyfle i gaboli'r disgyblion hynny sydd â'u bryd ar fynd i goleg drama neu ar gwrs actio. Cynhelir dosbarth TGAU dawns ar nos Fercher os oes digon o'r disgyblion awydd bwrw iddi. Yn amlach na pheidio dyma'r noson hefyd pryd y cynhelir ymarferion ychwanegol y gwaith ymarferol i'r cyrsiau Lefel A a TGAU.

Nos Iau mae'r ddau ddosbarth TGAU drama'n cyfarfod. Cynigir y cwrs i'r rhai sy'n mynychu ysgolion uwchradd lle nad oes adran ddrama. Mae'r cwrs yn para dwy flynedd ac felly mae'r dosbarth wedi'i rannu yn ddau hefyd. Dros y blynyddoedd mae tua 90% o'r disgyblion yn cael gradd A neu A seren yng Nglanaethwy.

Pnawn dydd Gwener daw'r disgyblion ail flwyddyn lefel A draw am eu gwers. Yna mae gennym sesiwn eto i fireinio monologau a darnau prawf ar gyfer cystadlaethau a chyfweliadau i unigolion cyn bod y côr hŷn yn heidio draw am eu hymarfer hwythau.

Anaml iawn y bydd y penwythnos yn gwbl glir inni'n tri gan fod cyrsiau, cyngherddau a chystadlaethau rif y gwlith ar ein calendr. Dyma'r cyfle hefyd i ffitio ymarferion ychwanegol eraill i mewn a buan iawn y bydd y penwythnos cyfan wedi diflannu o'n dwylo cyn ichi ddeud 'egwyl'.

Mae gan yr ysgol ei storfeydd o wisgoedd, props a setiau ers y dyddiau cynnar. Lowri, Rhian a finna sydd fel arfer yn benthyg, erfyn a bargeinio am gelfi a gwisgoedd. Rydan ni'n treulio oriau mewn siopa ail-law a sêl bŵt car. Côt o baent a mymryn o ddychymyg yn gallu gneud gwyrthiau ar adegau. Weithiau rydan ni'n casglu arian i dalu am ambell set neu wisg go arbennig. Bryd hynny rydym yn lwcus fod gan yr ysgol Gymdeithas Rieni a Chyfeillion sy'n trefnu nosweithiau codi arian yn ogystal â'r arian gwobrau a ffioedd rydym yn eu derbyn am berfformio. Mae'r rhan fwyaf o'r elw a wnawn ar werthiant CD's, cyngherddau a rhaglenni teledu yn mynd i dalu am yr adnoddau a'r costau teithio sy'n angenrheidiol i neud sioe dda ohoni. Yr arian yma sydd hefyd wedi talu am yr offer sain a goleuo sydd gennym yn yr ysgol. Ac mae 'na hen ail-gylchu a thrwsio'n mynd ymlaen credwch chi fi! Mae'n rhyfeddol sut y gall beth oedd ddoe yn waywffon droi'n ffon fugail o fewn dim, a sut y gall bin sbwriel droi'n ddrwm hefo lli drydan a mymryn o ddychymyg!

'Trafaeliais y byd, ei led a'i hyd ...'

Un nod bwysig oedd gennym o'r cychwyn oedd rhoi gymaint o gyfleoedd â phosib i'r disgyblion. A thros yr un mlynedd ar hugain y buom yn arbrofi tybiaf inni lwyddo, drwodd a thro, i wneud hynny. Rhai o'r uchafbwyntiau amlwg yw ennill gwobrau yn y *Barclays Music Theatre Awards*, y *Sainsbury's Choir of the Year*, Llangollen, Côr yr Ŵyl yn yr Eisteddfod Genedlaethol, y Côr Cerdd Dant yn yr Ŵyl Cerdd Dant, Côr yr Ŵyl yn yr Ŵyl Ban Geltaidd a Gŵyl Gorawl Stenna, Côr Plant cystadleuaeth Côr Cymru, ffeinal y *Last Choir Standing*, ac ennill y Côr Ieuenctid yng Ngŵyl *Musica Mundi* ym Mwdapest. Rydan ni wedi rhannu llwyfan hefo Cleo Lane a Johnny Dankworth, Wayne Sleep, Prunella Scales, Shirley Bassey, Catherine Zeta Jones, Catherine Jenkins, Ioan Gruffydd a Bryn Terfel a llawer mwy. Rydan ni wedi teithio i'r Eidal a'r Swistir, Iwerddon a'r Alban, Hwngari a'r Iwcraen, Bwlgaria a'r Weriniaeth Tsiec. Rydan ni hefyd wedi cael troedio llwyfan rhai o neuaddau gorau'r byd, er nad ydym eto wedi profi llwyfan cystal â'r un sydd gennym yn ôl adra yng Nghaerdydd. Ond mae'n siŵr mai un o binaclau mwyaf ein teithio hyd yma ydi perfformio yng Ngemau Corawl y Byd yn Shaoxing, Tsieina, yr ha' dwytha'.

I ennill eich lle yn un o ŵyliau mawr rhyngwladol *Musica Mundi* mae'n rhaid ichi yn gyntaf gystadlu yn un o'u gwyliau cyfandirol. Yn un o'r gwyliau hynny mae'n rhaid ichi gyrraedd safon y bydd panel o chwe beirniad yn cytuno ichi gyrraedd. Mae gan bob un o'r panel yma fforch diwnio ac mae gofyn ichi ganu o leia dau ddarn yn ddigyfeiliant. Mae'r corau'n cael eu marcio ar sawl agwedd o'r cyflwyno megis dehongli, dewis o raglen ac wrth gwrs, tonyddiaeth! Yn wahanol iawn i'r drefn eisteddfodol, nid yw'r panel yn trafod

Cynrychioli Cymru yn Shaoxing

â'i gilydd o gwbl, dim ond yn bwydo eu marciau i gyfrifiadur a byddwch yn derbyn eich marc yn y swyddfa ganolog ar ddiwedd y dydd. Efydd un yw'r sgôr isaf y gallwch ei gyrraedd (oni bai eich bod yn wironeddol wael – dwi'n credu mai *also participated* gewch chi os ydach chi mor isel â hynny!). Mae deg safle efydd, deg safle arian a deg safle aur. Felly aur deg yw'r uchaf y gallwch ei gyrraedd. O gystadlu yn gyson yn *Musica Mundi* felly, gallwch drio gwella eich marc eich hun ym mhob adran, ac mae hynny'n rhoi nod bersonol ichi bob tro rydach chi'n ymweld â'r ŵyl.

Mae'r beirniaid hefyd felly yn gorfod cadw at reolau llym iddyn nhw'u hunain wrth farcio, fel bod y broses yn gyson yn fyd eang. Does dim un farn gelfyddydol wedi bod yn gwbwl deg erioed wrth gwrs, ond mae'n rhaid imi gyfaddef 'mod i'n hoffi trefn *Musica Mundi* yn fwy na'r un. Does yna'r un dyfarniad pwy sy'n fuddugol yn dod o'r llwyfan felly, dim ond pawb yn mynd i nôl ei farc ar ddiwedd y dydd. Mae'r syniad o guro rhywun arall yn pylu hefyd, a chithau'n cael gwybod mewn modd llai cystadleuol os cyrhaeddoch chi'r nod ai peidio. Fel Llangollen, mae pawb sy'n dod i frig eu cystadleuaeth yn cystadlu eto am y brif wobr, ond dim ond yn y gwyliau cyfandirol y gweir hyn. Does dim 'Côr y Byd' yn y Gêmau Rhyngwladol. Ystyrir bob côr yn bencampwyr eu categori a dyna ni.

Falla'n bod ni ar ei hôl hi braidd, yn rhoi'r ffasiwn bwyslais ar ganlyniad yn ein heisteddfodau. A rŵan fod yna gymaint o 'eisteddfodau' ar y sianeli eraill o'r *X-Factor* i *Britain's Got Talent*, i *Last Choir Standing*, mae'r pwyslais ar ennill yn fwy afiach fyth efo'r camera yn ysu am saethu'r dagrau pan nad ydach chi'n cyrraedd y brig. Mor falch oeddwn i o wynebau ac ymateb Côr Glanaethwy pan ddaethon ni'n ail ar *Last Choir Standing*. Doeddan nhw ddim dan unrhyw gyfarwyddyd i gymeradwyo'r buddugwyr mor frwd ag y gwnaethon nhw, ond dwi'n credu fod y modd rydan ni'n eu paratoi ar gyfer cystadleuaeth wedi helpu. Os ydach chi wedi cael hwyl, gwefr ac addysg o baratoi ar gyfer unrhyw gystadleuaeth, elfen fechan iawn yw dod i'r brig wedyn. Credaf fod y cyfryngau yn cyflyru cystadleuwyr i ddeud wrth y camera bod eu bywydau yn dibynnu ar ennill, mai hwn yw'r peth pwysicaf yn eu bywydau ac y byddant yn defastêted tasan nhw ddim yn mynd drwodd i'r rownd nesa! Dyna'r union air a ofynwyd imi ei ddeud ar *Last Choir Standing*! Bu'n rhaid imi chwerthin i wyneb y camera a deud '*I can't say that!*' Roedd yr holwraig mewn penbleth llwyr a gofynnodd imi pam 'mod i'n ymateb fel hyn. '*Because we won't be devastated! We've just had a great time doing this show and when we leave we want to leave on a high!*' Dwi'n dal ddim yn meddwl ei bod wedi deall!

Fe gyrhaeddon ni safon aur saith yng nghategori'r Corau Gosbel yn Tsieina a dod i frig y categori. Cyrhaeddom safon aur pedwar a chael ein lleoli'n drydydd yng nghategori'r Corau Ieuenctid, a chyrraedd safon arian deg a dod yn bumed yn y categori Pop. Roedd pum cant wyth deg o gorau'n cystadlu mewn gwahanol gategorïau ac roedd y trefniadau yn wirioneddol dynn a'r croeso'n gynnes eithriadol. Roedd ganddon ni bedwar tywysydd hefo ni drwy gydol yr amser, gwesty moethus, stafell ymarfer ferwedig ond roedd y piano mewn tiwn perffaith! Buom yn canu mewn sawl cyngerdd yno hefyd ac roedd yr ymateb yn rhyfeddol. Yn rhai o'r prif gyngherddau roedd tua phymtheg mil yn y gynulleidfa a'r tyrfaoedd yn gwirioni hefo'n sain a'n rhaglen a'n hasbri.

Tydi *Musica Mundi* ddim eto wedi cyd-synio i chwifio'r ddraig goch ynghanol y llu baneri sy'n addurno'r neuaddau perfformio ond roeddan ni wedi mynd â digon hefo ni i'w chwifio a'u rhannu hefo'r corau eraill. Wrth gwrs roedd y Tsieineaid wrth eu boddau o ddeall mai draig oedd ar ein baner ac yn llawn cywreinrwydd o weld a chlywed ei thafod

Y World Choir Games

Y World Choir Games

yn yr ŵyl. Yn y cyngerdd mawreddog ar y noson olaf gofynnodd un ohonyn nhw imi a fyddwn yn fodlon cyfnewid baner hefo fo. Bu'n ei hastudio am hir iawn ac yna sylwais ar ei ffrindiau ac yntau'n glana chwerthin. Trodd ataf ar ddiwedd y cyngerdd i ddangos imi beth oedd wedi'u cosi. Ar ymyl y faner roedd tag bach gwyn, ac arno'r geiriau '*Made i'n China*'!

Roedd y daith i Shaoxing yn dri deg chwech o oriau. Siwrne faith! Atgofion melys a thicio bocs go fawr o safbwynt rhoi profiad i'n disgybion. Ac roedd 'na chwarae teg i bob un o'r corau yno'n bendant. Wrth gwrs fod chwaeth beirniad yn llywio dyfarniad ac roedd y marciau'n amrywio'n arw o feirniad i feirniad. Ond welais i'r un arlliw o gythraul canu ac fe welais i gorau'n cyd-ddyheu a chyd-rannu, ac roedd hynny fel chwa o awyr iach. Oedd yna berffaith chwarae teg? Wel . . . roedd rhai corau wedi cael grantiau a nawdd sylweddol i fod yno'n cynrychioli eu gwledydd, eraill wedi gorfod codi pob ceiniog i fod yno. Rhai wedi dod o sefydliadau a oedd yn arbenigo mewn canu corawl a'r lleill wedi dod yno o ysgolion a cholegau a gwledydd llai breintiedig. Ond doedd dim cenfigen na gwenwyn yn agos i'r lle. Pawb yn mwynhau cerddoriaeth ei gilydd mewn harmoni grymus a difyr iawn. 'Cauwch y drysau yn y cefn os gwelwch yn dda. Perffaith chwarae teg . . '

Syniad Da

Y bobl, y busnes – a byw breuddwyd

Glywsoch chi'r chwedl honno nad yw Cymry
Cymraeg yn bobl busnes?
Dyma gyfres sy'n rhoi ochr arall y geiniog.

**Straeon ein pobl fusnes:
yr ofnau a'r problemau wrth fentro;
hanes y twf a gwersi ysgol brofiad.**

**Busnes
ar y Buarth**

Gareth a Falmai Roberts
Llaeth y Llan 1985-2010

"Bob tro y bydd bygythiad yn dod drwy
lidiart y fferm, bydd cyfle yn dod gydag o ..."

Llaeth y Llan:
sefydlu busnes cynhyrchu
iogwrt ar fuarth ffarm
uwch Dyffryn Clwyd yn
ystod dirwasgiad yr 1980au

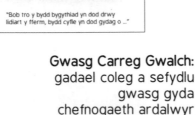

**Y Gwalch,
yr Inc a'r Bocsys**

Myrddin ap Dafydd
Gwasg Carreg Gwalch 1980-2010

"Mi rydw i wedi bod yn lwcus iawn –
mi lwyddais i droi fy niddordeb yn fara menyn ..."

Gwasg Carreg Gwalch:
gadael coleg a sefydlu
gwasg gyda
chefnogaeth ardalwyr
Dyffryn Conwy

*HANFODOL I BOBL IFANC AR GYRSIAU BUSNES
A BAGLORIAETH GYMREIG!
£5 yr un; www.carreg-gwalch.com*

118

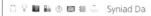

Y Llinyn Aur

Rhiannon Evans, Gof Aur Tregaron

"Nid bywyd yw Bioleg:
Mi af yn ôl i'r wlad"

Rhiannon:
troi crefft yn fusnes yng
nghefn gwlad Ceredigion

Llongau Tir Sych

Thomas Herbert Jones
Caelloi Cymru 1851-2011

"Un o'r pethau gwaethaf wnaiff
rhywun ydi ymddeol..."

Caelloi Cymru:
cwmni bysys moethus o Lŷn
sy' n ddolen rhwng Cymru ac
Ewrop

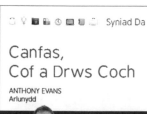

Canfas,
Cof a Drws Coch

ANTHONY EVANS
Arlunydd

"Mae arlunwyr yn gweithio
o'r tywyllwch i'r goleuni ..."

Anthony Evans:
troi celf yn ffon fara gan
sefydlu stiwdio ac oriel

Cadw'r Byd
i Droi

CLEDWYN EVANS
Teiers Cambrian 1971–2011

"Os nad yw'r teier o'ch dewis gyda ni,
yna nid yw'n bodoli ..."

Teiers Cambrian:
cwmni o Aberystwyth sydd
wedi tyfu i fod yn asiantaeth
deiers mwyaf gwledydd
Prydain

Byw Busnes

Gari Wyn

Sylw ar fusnes a bywyd, gyrfa a gwaith

Sylwadau ar fusnes a bywyd, gyrfa a gwaith gan

Gari Wyn
y gwerthwr ceir llwyddiannus a sefydlodd
Ceir Cymru

Dadansoddi treiddgar; 200 tudalen; £7.50